想像を超えろ！奇跡の決断

3分間サバイバル

あかね書房

もくじ

01

赤か青か

危機《きき》→逆転《ぎゃくてん》？

オレは額《ひたい》からしたたり落ちる汗《あせ》をぬぐいもせず、小さな機械の回路をにらんでいた。
はさみをにぎる手がこきざみにふるえる。
今はっきりしていることは、ただひとつ。
赤のコードか、青のコードか。どちらかを切ればこの爆弾《ばくだん》の時限装置《じげんそうち》は解除《かいじょ》される。
まちがった方を切れば、ただちに爆発《ばくはつ》する。
どっちを切るか、考えていられるのは10分間。何もせずにあと10分たてばこいつは爆発《ばくはつ》し、がんじょうな小屋にとじこめられた3人の刑事《けいじ》――オレたちは確実《かくじつ》に死を迎《むか》えるってわけだ。

「おい、どうするんだ？　どっちか切らないともう時間がないぞ。」

「青を切ろう。いや……やっぱり赤……？」

さっきから、ヤマモトもムカイも同じようなことをくり返すばかり。そう、考えたって正解《せいかい》はわからない。いちかばちか、カンに頼《たよ》るしか道はないんだ。

長年オレたちに犯罪組織《はんざいそしき》のネタを売っていた「情報屋《じょうほうや》のケン」に裏切《うらぎ》られて閉《と》じこめられるとは、予想外だった。ヤツとはそれなりに信頼《しんらい》関係を結んでいたつもりだったのに。

キキ――ッ

外で車が急停車《きゅうていしゃ》する音がした。鉄格子《てつごうし》のはまった小窓《こまど》にかけ寄《よ》ると、真っ黒な車の運転席からケンが顔を出していた。助手席からこっちをながめているのは犯罪組《はんざいそ》織《しき》のボスだ。ケンの声が拡声器《かくせいき》ごしに聞こえてくる。

「あと10分を切ったな。おまえらがバラバラになるのを確《たし》かめに来たぜ！」

オレは鉄格子《てつごうし》を握《にぎ》りしめた。

「ケン、頼《たの》む！　教えてくれ！　赤と青、どっちを切れば助かるんだ⁉」

オレは必死でさけんだが、ヤマモトはあきらめ顔だ。

「ムダだよ、横にはボスもついてる。教えるわけないだろ。」

そんなことわかってるけど……ケンの良心にうったえてみたかったんだ！

ケンは不敵《ふてき》な笑《え》みを浮《う》かべ、エンジンをふかした。

「ハハハ、オレがそんなお人よしに見えるか？　オレを仲間だと思ってるのかもしれんが、オレたちは無関係の他人だ。他人、他人！　おまえらみたいなのと手を組んでたなんて、恥《はじ》だ。恥《はじ》、恥《はじ》！　せいぜい血まみれになって死にやがれ！　血まみれに！」

こう言い放ってケンは車を発進させ、あっという間に走り去った。

あと5分――。どっちを切るか、心は決まった。

ケン、ありがとう……！

主人公はみごとに「爆弾《ばくだん》の時限装置《じげんそうち》が解除《かいじょ》される方」のコードを切ることができた。赤か青、どちらを切ったのだろうか。

解説《かいせつ》

主人公が切ったのは赤のコード。ケンがボスの手前、ただ暴言《ぼうげん》をはいているように見せながら、どちらを切れば助かるかを伝えているのが、主人公にはわかったのだ。

ケンの言葉には、「赤」を連想させるヒントが3つ隠《かく》されていた。「他人」には、「赤の他人」という言い方がある。「恥《はじ》」には、「赤っ恥《ぱじ》」という表《ひょう》現《げん》がある。そして、「血まみれ」という言葉で念を押《お》したのである。

こうして主人公たちの命は助かった。

ケンは犯罪組織《はんざいそしき》の側についたが、やはり長い間協力関係にあった主人公たちを殺《ころ》すにはしのびないと考えたのである。主人公たちに助け舟《たすぶね》を出したことがバレないうちに、ケンは行方《ゆくえ》をくらましたという。

02

アイスクリーム作戦

失敗↓なぜ?

およそ60年前、キューバの高級ホテルのレストランにて。

(カストロが来た……ついに!)

サントスはカウンター内の冷凍庫《れいとうこ》の前に立ち、息をこらしていた。

じつはサントスはある組織《そしき》の工作員で、キューバのカストロ議長を暗殺《あんさつ》する任務《にんむ》を担《にな》っていた。「議長」とは総理大臣《そうりだいじん》や大統領《だいとうりょう》と同じようなもの。国の政治《せいじ》をつかさどるトップである。

サントスが属《ぞく》するA《エー》国の組織《そしき》では何年も前から暗殺《あんさつ》チームが結成され、カストロの命をねらっていた。しかし、カストロの周囲《しゅうい》のガードはかたく、ことごとく失敗。毒《どく》をしみこませた葉巻《はまき》、接近《せっきん》して毒《どく》を吹《ふ》きつけるペン型《がた》の道具、カメラに見せかけた銃《じゅう》など、いろいろな秘密《ひみつ》兵器も作られたが、どれも成功していない。

そして、浮《う》かび上がったのがこの「アイスクリーム作戦」。カストロはこの店をたまに訪《おとず》れ――しかも決まってアイスクリームを注文するのだ。このレストランは、並《なら》べてある料理を客がセルフサービスで取る食べ放題スタイルだ。もちろんアイスクリームだけは溶《と》けてしまうから出しっぱなしとはいかない。

もともとこの店の従業員《じゅうぎょういん》だったサントスが作戦の実行役になったのは、自然な流れである。

1週間ほど前、サントスはカウンター内でザーザー水を流しながら洗《あら》い物をするふりをしていた。まわりにだれもいなくなるのをみはからい、小さなプラスチックの容器《ようき》を冷凍庫《れいとうこ》の奥《おく》につっこんだ。その容器《ようき》には毒薬《どくやく》のカプセルが入っている。

あとは、カストロがやって来るのを待てばいい。

カストロが大好物を注文したら――冷凍庫《れいとうこ》からすばやくアイスクリームと例の容《よう》

器《き》を出し、アイスクリームの中にカプセルをうめこむ。それだけでいいのだ。

そして、容器《ようき》をしこんでから1週間がたった今まさに——サントスの前にカストロ議長が立っている！

「きみ、アイスクリームを頼《たの》むよ。」

「はい、ただ今！」

カウンター内にはだれもいない。サントスはほんの10秒でそれをやりとげる自信があった。なのに、「アイスクリーム作戦」は失敗に終わったのである。

かんたんに思える「アイスクリーム作戦」はなぜ失敗したのだろうか。

解説《かいせつ》

サントスは毒《どく》カプセル入りの容器《ようき》を水のついた手で冷凍庫《れいとうこ》の奥《おく》に入れた。日がたつうちに容器《ようき》は冷凍庫《れいとうこ》にしっかりこおりついてしまったのである。業務用《ぎょうむよう》の冷凍庫《れいとうこ》は強力だし、容器《ようき》は小さいのでくっつくと取りにくい。いつまでも冷凍庫《れいとうこ》に手をつっこんでつめでガリガリやっていると怪《あや》しまれてしまうので、サントスは決行をあきらめたのだ。サントスはすっかり動揺《どうよう》し、結局はこのカプセルを捨《す》ててしまったという。これは実話をもとにした話。

フィデル・カストロはキューバの革命家《かくめいか》・政治家《せいじか》。１９５９年に仲間とともにキューバ革命《かくめい》を起こして新しい政権《せいけん》をつくり、長くキューバの最高権力者《けんりょくしゃ》を務《つと》めた。それまでキューバに影響力《えいきょうりょく》を持っていたアメリカににらまれ、たびたび命をねらわれる。後年、アメリカ政府《せいふ》が公表した情報《じょうほう》から、暗殺《あんさつ》計画の数は「６３８回」と推測《すいそく》され、「暗殺《あんさつ》されそうになった回数がもっとも多い人物」としてギネスブックに掲載《けいさい》された。カストロは２０１６年に90歳《さい》で亡《な》くなっている。

03

地球から38万キロ

逆転《ぎゃくてん》→なぜ？

アポロ11号がアメリカはフロリダ州のケネディー宇宙《うちゅう》センターから発射《はっしゃ》されたのは、１９６９年７月16日のことだった。

「きっとやりとげると信じているよ！」

世界中の人たちの声援《せいえん》を受け、宇宙《うちゅう》に飛び立った乗組員はニール・アームストロング船長、バズ・オルドリン操縦士《そうじゅうし》、マイケル・コリンズ操縦士《そうじゅうし》の３人だ。

打ち上げから４日目の７月20日。

アームストロングとオルドリンの２人が乗りこんだ「月着陸船イーグル」は、コリンズが操縦《そうじゅう》する司令船から切りはなされ、月面着陸を果たした。歴史的瞬間《れきしてきしゅんかん》である。月面着陸という人類の夢《ゆめ》を実現《じつげん》すべく、多くの人が力をつくしてきた。その中でこの3人が選ばれ——月の地面を踏《ふ》むことができるのは2人だけ。たいへんな栄誉《えいよ》だが、一方では命がけの危険《きけん》な任務《にんむ》であることを当人たちは一瞬《いっしゅん》たりとも忘《わす》れることはなかった。

アームストロングが、そしてオルドリンが月面を踏《ふ》む映像《えいぞう》は、人工衛星《えいせい》を経由《けいゆ》して地球に送られ、テレビ中継《ちゅうけい》されていた。その瞬間《しゅんかん》をながめていたのは7億人。当時の世界の人口の約5分の1といわれる。

そして、アームストロングは胸《むね》を高鳴らせながら——テレビの画面を見つめている世界中の人たちに向けて、こう語ったのである。

「これは一人の人間にとっては小さな一歩だが、人類にとっては偉大《いだい》な飛躍《ひやく》だ！」

「アポロ11号、ばんざい！　アームストロング船長、ばんざい！」

テレビの前の人たちは熱狂《ねっきょう》していた。

もちろんアームストロングたちも大きな感動にふるえていた。宇宙服《うちゅうふく》にとりつけられた計器によれば、彼《かれ》らの脈拍《みゃくはく》はふつうの状態《じょうたい》よりかなり速かった。それは喜《よろこ》びと興奮《こうふん》のせいだけではなく、不安や緊張《きんちょう》のためでもある。

月面着陸を成功させただけでも偉業《いぎょう》だが、彼《かれ》らにはまだやることがたくさんあった。

月の岩石を採集《さいしゅう》すること、写真を撮《と》ること。

忘《わす》れてはならないのは、月の地面にアメリカの国旗を立てることだ。地面がかたかったのでなかなか難《むずか》しく、2人は旗が倒《たお》れないかヒヤヒヤした。

このもようはテレビに流れているのだから失敗は許《ゆる》されない。

低重力の宇宙《うちゅう》空間を大またで歩き回り——予定されたすべての活動をこなすと、2人はイーグルの船内にもどった。

「ふう、どうにかやりきったな。」

「ああ。」

屋内にもどってくると、2人はホッとして大きく息をはいた。

だが、ミッションはまだ終わっていない。アームストロングとオルドリンはそれぞれサインペンを取り出し、ノートに記録をつけた。気づいたことはなんでもくわしく書いておかなくてはならない。それから食事をとって、ひと眠《ねむ》りして――。すべて予定通りに運ぶ必要があった。

地球の、陸地の上ではなんてことのない小さなミスが、ここでは命とりになるかもしれないのだから。

2人は何をするにも慎重《しんちょう》にふるまった。そういう人間だからこそ選ばれたのだが……何ごとにも「絶対《ぜったい》」はないのだ。

いよいよ21時間半ほどを過《す》ごした月面をはなれるときが訪《おとず》れた、そのとき。

「あっ!」

オルドリンが声を上げた。アームストロングの顔から血の気が引く。

オルドリンはエンジンのブレーカースイッチを折ってしまったのである。

ここには予備《よび》の部品も工具もない。アームストロングはうめいた。

（このスイッチでエンジンを作動しなければ離陸《りりく》できない。燃料《ねんりょう》だってギリギリしか積んでないのに。司令船と合体できなかったら地球にもどれないぞ……。）

しかし、２人は冷静さを失わなかった。あるものをスイッチの代わりにし、無事にエンジンを作動させたのである。

絶体絶命《ぜったいぜつめい》の大ピンチ。2人は何をスイッチの代わりにしてエンジンを作動させたのだろうか。

スイッチの折れた部分にサインペンの先を入れ、これをトリガー（引き金）にしたのである。「なぁんだ」と思うかもしれないが、これを思いつかなければ「人類史《し》上《じょう》初の月面着陸」の結末は悲劇《ひげき》に終わっていたかもしれないのだ。もしサインペンがスイッチのトリガーにぴったりの太さでなかったなら？　これも奇跡《きせき》といえるだろう。

ちなみに人類史上《しじょう》初の有人宇宙《うちゅう》飛行を成功させたのは旧《きゅう》ソビエト連邦《れんぽう》（現在《げんざい》のロシア）。１９６１年4月12日、ユーリ・ガガーリンを乗せた宇宙船《うちゅうせん》は大気圏外《たいきけんがい》で地球を1周した。打ち上げから帰還《きかん》までは１０８分だったという。

04

疾走《しっそう》するゾウ

成功↓なぜ？

タイはプーケットの、海ぞいのリゾートホテルにて。

「フォンさん、ニンノンにバナナをあげてもいい？　それから、今日もいっしょに散歩してもいい？」

ゾウのご飯を用意していたフォンは、リンダに笑顔《えがお》を向けた。

「もちろんいいとも。」

「ありがとう！」

少女はうれしそうにとびはねながら、テラスで朝食をとっている家族のところに走っていった。

リンダは家族旅行でタイにやって来たイギリス人だ。このホテルは、すぐそばにある飼育施設《しいくしせつ》のゾウとふれあえるのが売りである。動物が好きなリンダは、ゾウに夢中《むちゅう》になっていた。なかでもニンノンという子ゾウと仲よしだ。

「おはよう、ニンノン！」

リンダがさし出したバナナを、ニンノンは上手《じょうず》に鼻を巻《ま》きつけて受け取り、口に運ぶ。砂浜《すなはま》を楽しそうに歩き回るニンノンを、リンダはいとおしそうにながめている。

「あたし、ここに来るまでゾウがこんなに元気よく歩くなんて知らなかった。だって動物園で見たゾウはじっとしててほとんど動かないの。たまに歩くとしても、のっそり歩くだけ。もしかしてコンクリートがよくないのかな？」

フォンはうなずいた。

「その通り。ゾウは体重が重いから、かたい床《ゆか》やコンクリートだと足にかかる負担《ふたん》が大きい。ひづめや足の裏《うら》が割《わ》れることもあるんだ。ゾウの足の裏《うら》はとても敏感《びんかん》だから、ぼくたちはゾウの足の裏《うら》を洗《あら》ったり、クリームをぬったりケアしているよ。」

「いいね。大事にしてもらってるんだね！」と言いながら、リンダはフォンの手を借りてニンノンの背《せ》にまたがった。

ところが――リンダを乗せて歩き出したニンノンは、異様《いよう》な鳴き声を上げ、突然《とつぜん》走り出したのである。ニンノンのあとを追うように、ほかのゾウたちもゾウ舎《しゃ》の鎖《くさり》を振《ふ》りちぎって猛《もう》スピードでかけ出す。

「リンダ！　うちの娘《むすめ》が！」「だれか、あのゾウをつかまえて！」

リンダの家族を先頭に、ゾウの飼育員《しいくいん》やホテルのスタッフ、そこにいた観光客たち――みんながあわててゾウを追いかけた。

このとき、人々《ひとびと》はまだ、自分の命がゾウに救《すく》われるとは思いもしなかったのだが。

ゾウたちは何かの異変《いへん》を感じて走り出したようだ。ゾウはなぜそれに気づいたのか。この後、いったい何が起こったのだろうか。

解説《かいせつ》

ゾウは、人間には聞こえないとても低い周波の音をキャッチできる。その高性能《こうせいのう》の受信機は、あの大きな耳——ではなく、足の裏《うら》だ。ゾウの足の裏《うら》のやわらかい部分で、40〜50キロもはなれた場所の震動《しんどう》を感知し、それが骨《ほね》を伝わって耳に届《とど》くのだ。ニンノンたちはこのとき、遠くで起こった地震《じしん》の影響《えいきょう》で津波《つなみ》が押《お》し寄《よ》せようとしているのをいち早く感じ取り、小高い丘《おか》に逃《に》げたのだ。人々《ひとびと》はゾウたちを追いかけたおかげで、全員津波《つなみ》の被害《ひがい》にあわずにすんだのである。

これは2004年のスマトラ沖地震《おきじしん》のときにあった実話をモデルにした話。タイの海岸でゾウがさわぎ出し、背中《せなか》に観光客を乗せたまま走り出した結果、多くの人たちが被害《ひがい》を逃《まぬが》れたという。

05

ロマンティックな王様

遺言《ゆいごん》↓なぜ?

今から150年ほど前、バイエルン王国（現在《げんざい》のドイツ）にて。

「すばらしい。わたしが夢見《ゆめみ》ていた城が、いよいよ完成に近づいている!」

ルートヴィヒ2世は満足そうに城の中を歩き回っていた。

彼《かれ》は、城が好きな王様である。19歳《さい》のときに即位《そくい》してからいくつもの城を建ててきたが、このノイシュバンシュタイン城はその決定版《けっていばん》ともいうべきものだ。

「王座《おうざ》の間」の天井《てんじょう》には金がはりめぐらされ、巨大《きょだい》なシャンデリアが輝《かがや》いている。

広間はたくさんあるが、なかでもお気に入りはオペラを上演《じょうえん》するための「歌人の間」。

さらに、城の中に人工の洞窟《どうくつ》や滝《たき》まであるのがご自慢《じまん》である。

城をのぞむ景色も、もちろん完璧《かんぺき》だ。

深い森の中にすっくとそびえる真っ白な城の姿《すがた》は、一枚《まい》の絵のよう。

ルートヴィヒ2世は、美しいものが好きなロマンティックな男だった。幼《おさな》いころから、騎士《きし》が活躍《かつやく》する中世の時代にあこがれていて——そのイメージを詰《つ》めこんだのが、この城というわけだ。

城は国をおさめる仕事をしたり、外国の方を迎《むか》えておもてなしをする場でもある。しかし、ルートヴィヒ2世は政治《せいじ》にはまるで無関心。このノイシュバンシュタイン城は単なる「趣味《しゅみ》の芸術品《げいじゅつひん》」だ。

彼《かれ》は、うっとりと目を細めて言ったものである。

「わたしが死んだあとは、ノイシュバンシュタイン城にはだれも入れないでほしい。わたしだけの宝《たから》だ。この城はこわしてくれ。」

一方、ルートヴィヒ2世の家臣たちはノイシュバンシュタイン城のことを「ムダな城」としか思っていなかった。

彼《かれ》らは、自分のことしか考えていない王のことをきらっていたのだ。

なにしろ、豪華《ごうか》きわまりない城の建設費《けんせつひ》のせいで、国の財政《ざいせい》は火の車なのである。

「国のお金を使ってこんなにぜいたくな城をつくるなんて、むちゃくちゃだ！」

「しかも、陛下《へいか》はさらに新しい城の構想《こうそう》を練っているようだ。」

「じょうだんじゃありませんよ。このまま陛下《へいか》の好きにさせていたら、国がほろびてしまう。」

「わたしたちの言うことはいっさい聞かず、王の権限《けんげん》をふりかざして好き勝手やるんですから、たまったものじゃない。」


そこで、家臣たちはルートヴィヒ2世から王の位をうばう作戦に出た。

ルートヴィヒ2世を医者にみせ、「重い病気のため、正常《せいじょう》な判断《はんだん》ができない状態《じょうたい》にある」という診断《しんだん》をくださせたのである。

「なんだと!?　わたしは病気なんかじゃない！」

ルートヴィヒ2世は抵抗《ていこう》したが、強引にとじこめられてしまう。

そして、ほどなく――。

ルートヴィヒ2世の死体が湖から引き上げられた。事故死《じこし》とされたが、本当のところはわからずじまいとなった。


「さて、ノイシュバンシュタイン城をどうしますかねぇ？」

ルートヴィヒ2世亡《な》きあと、家臣たちはその美しい城を見上げて話しあった。

「陛下《へいか》は『わたしが死んだらこわしてほしい』と言っていましたな。」

「うむ。手入れにも金がかかるし、こわしてしまえばいいんじゃないか？」

「それがいい。すごい城なのは認《みと》めるが、見ていると陛下《へいか》のことを思い出して腹《はら》が立ってくるしな。」

反対したのは摂政《せっしょう》のルイトポルトだけだった。

「いや、わたしはこわさない方がいいと思う。」

みんなは目を丸くした。ルイトポルトだって、ノイシュバンシュタイン城の建設《けんせつ》には批判的《ひはんてき》だったのだ。今さら、愛着があるとは思えない。
結局、ノイシュバンシュタイン城は残されることになった。
そして、この「ムダな城」は——長い目で見ると、この国の役に立ったのである。

この城はなぜ、国の役に立ったのだろうか。

解説《かいせつ》

ルイトポルトは王の死後まもなく、入場料を取ってノイシュバンシュタイン城を一般《いっぱん》公開したのである。これは事実をもとにした話。ぜいたくをつくした城は、アミューズメントパークさながら。多くの見物客を集めたので、おおいに財政《ざいせい》の足しになったわけだ。今でもノイシュバンシュタイン城はドイツの代表的な名所で、世界中から年間130万人もの観光客が訪《おとず》れている。

ノイシュバンシュタイン城はおとぎ話に出てくるお城のようなルックスから、中世に建てられた城だと誤解《ごかい》されることも多いそうだ。アメリカのカリフォルニア州にある世界初のディズニーランドの「眠《ねむ》れる森の美女の城」のモデルといわれている。

06

アホウドリのお引越《ひっこ》し

危機《きき》→逆転《ぎゃくてん》？

1980年代の終わりごろ、伊豆諸島《いずしょとう》の鳥島《とりしま》にて。

H《エイチ》先生は双眼鏡《そうがんきょう》をのぞいた。

急斜面《きゅうしゃめん》にずんぐりとした白い鳥の姿《すがた》がちらほらと見える。

「昔、この島はアホウドリでいっぱいだったんだよなぁ。どうにかして、その風景を復活《ふっかつ》させたいものだ……。」

H《エイチ》先生は10年ほど前からアホウドリの保護《ほご》活動に取り組む研究者である。

一時は絶滅《ぜつめつ》のおそれがあるほどアホウドリが減《へ》ったのは、人間のせいである。

乱獲《らんかく》が始まったのは明治《めいじ》時代。

アホウドリは翼《つばさ》を広げると2メートル以上にもなる大型《おおがた》の水鳥である。人々《ひとびと》はその羽毛を羽毛ぶとんやまくらの材料にした。真っ白な羽の美しさから、ほかの鳥よりも高値《たかね》で売れ、海外への輸出品《ゆしゅつひん》としても人気だったという。

アホウドリは大型《おおがた》なので、一度陸に降《お》り立つとすぐに飛び立つことができない。それで、つかまえるのがかんたんだったのも都合がよかった。

アホウドリの羽毛でひともうけしようと考えた実業家の指揮《しき》で、最盛期《さいせいき》には300人もが羽毛を採取《さいしゅ》する仕事につき、一人あたり、一日に100〜200羽を捕獲《ほかく》していたという記録もある。

明治《めいじ》末期にはアホウドリの減少《げんしょう》が問題となり、保護対策《ほごたいさく》が始まったが、それは十分ではなく——昭和初期には数十羽にまで減《へ》ってしまったこともある。

「1962（昭和37）年には国の特別天然記念物に指定されて、専門家《せんもんか》が保護《ほご》と繁殖《はんしょく》活動に乗り出した。それでも、アホウドリは劇的《げきてき》には増《ふ》えなかったんだ。」

H《エイチ》先生の言葉に、M《エム》くんは首をかしげた。M《エム》くんは、H《エイチ》先生の親せきの動物好きの高校生だ。H《エイチ》先生の研究に興味《きょうみ》を持ち、頼《たの》みこんで調査《ちょうさ》についてきたのである。

「どうしてなの？　アホウドリの捕獲《ほかく》が禁止《きんし》されてから、ここはアホウドリの楽園になったはずなのに。」

「うん、それがね……アホウドリたちが巣を作ってる場所は、かなり急な斜面《しゃめん》だろう？」

H《エイチ》先生は、M《エム》くんに双眼鏡《そうがんきょう》を手わたす。

「ホントだ。」

「あそこは火山灰《かざんばい》が積もった土壌《どじょう》でね。大雨で地盤《じばん》がゆるむと、土砂《どしゃ》くずれを起こしやすい。大雨のたびに卵《たまご》や小さなヒナドリが流されて、土砂《どしゃ》にうまってしまうんだ。」

「え、そんな理由？　だって、野生動物は危険《きけん》を察知する能力《のうりょく》にすぐれてるはずでしょ？　なんでわざわざそんな危険《きけん》な場所に巣を作っているんですか？」

「それも、人間のせいなんだ。人間たちがアホウドリを乱獲《らんかく》した時期は長かった。

その間に、アホウドリたちは人間が近寄《ちかよ》りにくい場所に住むことにした。それで、あの危険《きけん》な場所を選んだってわけなんだ。」

アホウドリは集団《しゅうだん》生活をする習性《しゅうせい》がある。仲間が住む場所から遠くに行くことはない。そのため、卵《たまご》やヒナを失う事故《じこ》が起こっても住みかを変えず、危険《きけん》な場所に住み続けているようなのだ。

「だから……今の課題は、なんとかしてアホウドリを安全な地盤《じばん》のところにお引越《ひっこ》しさせることなんだ。」

「そうかぁ。小屋に入れて、むりやり安全な場所に移《うつ》すとかじゃダメ？」

「それはダメだ。自然な姿《すがた》ではないからね。アホウドリが自分から進んで移《うつ》ってきてくれるようにしないと。」

「ふーん。エサをいっぱい並《なら》べとくのは？　オレだったらつられてくるな。」

「アホウドリたちは海で新鮮《しんせん》な魚やイカを獲《と》って食べてるからなぁ。でも、『自分だったら？』ってところから考えるのはおもしろい。いいセンいってるぞ。」

H《エイチ》先生にほめられて、M《エム》くんはさらに考えた。

（アホウドリをおびき寄《よ》せる楽しいことってなんだろう？）

「オレ的に考えると――かわいいメスのアホウドリが集まるパーティーとかがあればノコノコ移《うつ》ってくるかも！」

M《エム》くんはほとんど冗談《じょうだん》のつもりで言ったのだが。

H《エイチ》先生は手をたたいてM《エム》くんの肩《かた》をポンとたたいたのである。

「それはまさにぼくたちが考えてる計画に近いんだよ。」


H《エイチ》先生は、M《エム》くんの案は自分が考えている計画に「近い」と言う。その計画はどんなものか推理《すいり》してほしい。メスをむりやりに連れてきて配置することではない。

解説《かいせつ》

H《エイチ》先生の計画は、安全な場所にアホウドリに似《に》せて作ったデコイ（おとり）を配置することである。

これは実話をモデルとした話。H《エイチ》先生のモデル、長谷川博《はせがわひろし》さんは動物生態学《せいたいがく》の研究者だ。野鳥専門《せんもん》の彫刻家《ちょうこくか》に精巧《せいこう》なアホウドリの彫刻《ちょうこく》を作ってもらい、これをもとにプラスチック製《せい》のデコイを量産。首をのばした求愛活動のポーズや立ち姿《すがた》、卵《たまご》を抱《だ》く姿勢《しせい》などが作られた。さらに電機メーカーに協力してもらい、アホウドリが求愛活動をするときに出す鳴き声を再生《さいせい》する装置《そうち》を設置《せっち》した。電源《でんげん》は太陽光発電を利用したという。

この作戦は大当たり。若《わか》い繁殖期《はんしょくき》のアホウドリが集まり始めると、集団《しゅうだん》行動を好む性質《せいしつ》からほかのアホウドリたちも移《うつ》り住むように。一時は絶滅《ぜつめつ》の可能性《かのうせい》があるといわれたが、現在《げんざい》は鳥島《とりしま》だけで約6000羽以上まで回復《かいふく》している。

07

喜劇王《きげきおう》の休暇《きゅうか》

理由→なぜ？

1932（昭和7）年の5月15日。

新聞の朝刊《ちょうかん》ではアメリカの喜劇王《きげきおう》・チャップリンの来日を大きく報道《ほうどう》していた。

チャップリンは、監督《かんとく》としてコメディ俳優《はいゆう》として映画界《えいがかい》で大成功をおさめていた。帽子《ぼうし》にチョビひげ、だぶだぶズボンにステッキのスタイルがトレードマークの世界の人気者である。

このとき、チャップリンは製作《せいさく》に2年以上もかかった映画《えいが》を完成させ、休暇《きゅうか》として世界旅行に出かけていた。イギリスでもヨーロッパでも――どこの国でも大歓迎《だいかんげい》を受け、最後に訪《おとず》れたのが日本だった。

新聞には、チャップリンを一目見ようと、東京駅や宿泊先《しゅくはくさき》のホテルに押《お》し寄《よ》せるファンの熱狂《ねっきょう》ぶりが報《ほう》じられていた。

しかし、一部にはチャップリンを異様《いよう》に敵視《てきし》する日本人もいたのである。

「目ざわりなチョビひげ野郎《やろう》め。あいつのくだらない映画《えいが》がはやったおかげで日本はダメになる一方だ。」

「まったくだ。低俗《ていぞく》なアメリカの映画《えいが》を見て喜《よろこ》ぶなんて情《なさ》けない。」

朝刊《ちょうかん》を開き、苦々《にがにが》しげに話しているのはまだ若《わか》い軍人たちだ。

「そうだ。アメリカにかぶれてヘコヘコしてる場合じゃない。オレたちが……オレたちの力で、日本を正しい方向に導《みちび》かなくては！」

そこへ、もう一人——彼《かれ》らの「同志《どうし》」が息せき切って走ってきた。

「おい、新しい情報《じょうほう》をつかんだぞ。今日の夕方、犬養《いぬかい》首相がチャップリンを晩餐会《ばんさんかい》に招待《しょうたい》することになったそうだ！」

「なんだって⁉」

彼《かれ》らは顔を見合わせた。

この当時の日本は、非常《ひじょう》に不安定な状態《じょうたい》にあった。

明治《めいじ》時代以降《いこう》、日本は文化の進んだヨーロッパやアメリカと対等にわたりあう「強い国」になることをめざしてきた。中国やロシアとの戦争に勝利した日本は、昭和時代に入るとさらに侵略的《しんりゃくてき》な戦争に前向きになっていく。軍部では、アメリカに戦争をしかけようという考えもあった。

しかし、ときの首相、犬養毅《いぬかいつよし》は戦争に対して否定的《ひていてき》だった。

「外国を侵略《しんりゃく》するのはダメだ、平和にやっていくべきだ」とはっきり主張《しゅちょう》していたのだが、軍部の一部の人たちはこれに激《はげ》しく反感を持った。

「アメリカは日本人の敵《てき》だ。そのアメリカと仲よくしようとする腰《こし》ぬけの犬養《いぬかい》首相も、我《われ》らの敵《てき》だ！」

あくまで一部だが——若《わか》い軍人たちはこんなふうに思いつめていたのである。

チャップリンは帝国《ていこく》ホテルの一室でくつろいでいた。

（日本の観光が終わったら、いよいよアメリカに帰るんだ。こんな機会はめったにない。後悔《こうかい》のないように楽しまなくちゃな。まずは、すもうを見に行かなきゃ！）

そんなことを考えているところへ、犬養《いぬかい》首相の使いが訪《たず》ねてきて、「今日、首相が晩餐会《ばんさんかい》に招待《しょうたい》したいと申しております」と言ってきたのだ。

一国のトップである首相の招待《しょうたい》は、名誉《めいよ》なことである。

「わかりました、行きますよ」と返事をしたのは30分前のことだが――チャップリンは早くも後悔《こうかい》しはじめていた。

そこで、チャップリンは秘書《ひしょ》にこう指示《しじ》をした。

「すまないが、首相と会うのは別の日に変更《へんこう》してもらうように言ってくれ！　今日はやっぱりすもうを見に行く。これが日本に来た一番の目的だからな。」

「困《こま》りましたねぇ。行くと返事したのに、首相のお誘《さそ》いをキャンセルするなんて……。あなたはアメリカの代表といってもいい立場だ。国際《こくさい》問題にでもなったらどうするんです!?」

チャップリンの秘書《ひしょ》はブツブツ言いながら、断《ことわ》りの電話を入れた。

この日、チャップリンが犬養《いぬかい》首相との約束をキャンセルしたことは彼《かれ》の運命を大きく左右した。そして、秘書《ひしょ》が心配したのとは逆《ぎゃく》に——むしろ、国際《こくさい》問題に発展《はってん》する危険《きけん》を回避《かいひ》することになったのだ。

もしチャップリンが犬養《いぬかい》首相の晩餐会《ばんさんかい》に出席していたら、どんなことが起こったのか推理《すいり》してみてほしい。

解説《かいせつ》

1932（昭和7）年5月15日は「五・一五事件《じけん》」の起こった日。陸海軍の若《わか》い軍人たちが中心となり、犬養毅《いぬかいつよし》首相を暗殺《あんさつ》した事件《じけん》である。このとき、軍人たちは犬《いぬ》養毅《かいつよし》がチャップリンを晩餐会《ばんさんかい》に招《まね》いたことを知ると、ついでにアメリカの宝《たから》である大スターを殺害《さつがい》し、日米の関係を悪化させて戦争への流れを進めようと考えたという。チャップリンは、約束を断《ことわ》って国技館《こくぎかん》にすもうを見に行っていなければ殺害《さつがい》されていたかもしれないのだ。

チャールズ・チャップリンはイギリス生まれの俳優《はいゆう》・映画監督《えいがかんとく》・プロデューサー。子どものころから劇団《げきだん》に所属《しょぞく》し、17歳《さい》のときに喜劇一座《きげきいちざ》の団員《だんいん》になる。その後、アメリカに渡《わた》り、コメディ俳優《はいゆう》として人気を博すと監督《かんとく》も務《つと》めるように。ドタバタコメディの中にじんわりとした温かみや悲哀《ひあい》を感じさせる作風は唯一無二《ゆいいつむに》。社会風刺《ふうし》をこめた『黄金狂時代《おうごんきょうじだい》』『モダン・タイムス』『独裁者《どくさいしゃ》』など、時代を超《こ》えて愛される多くの傑作《けっさく》を残している。

08

29年間

理由↓なぜ？

1974（昭和49）年、フィリピンのルバング島にて。

「おい、何をしている！」

けわしいどなり声に、スズキが後ろをふり向くと、そこには銃《じゅう》をかまえた男の姿《すがた》があった。

「ぼくは日本人です！　あなたは……オノダさんですか？」

よごれた軍服を着こんだ男は鋭《するど》い眼光《がんこう》でスズキをにらみつける。

「そうだ。オレはオノダだ。」

スズキの顔はほころんだ。若《わか》い冒険家《ぼうけんか》のスズキは、オノダを探《さが》すためにはるばる日本からここにやって来たのだ。

「オノダ少尉《しょうい》。長い間、ご苦労さまでした。29年前に戦争は終わっています。ぼくといっしょに日本に帰っていただけませんか？」


オノダがこの地に派遣《はけん》されたのは、1944（昭和19）年の12月だった。ここで、日本軍はアメリカ軍と激《はげ》しい戦いをくり広げたのである。

アメリカ軍の戦力は圧倒的《あっとうてき》で、オノダは多くの仲間を失った。

だが、オノダは仲間が減《へ》っても決してあきらめることはなかった。

（上官に言われたんだ。「もし最後の生き残りになってもあきらめることは許《ゆる》さん。生きろ。生きて戦いぬけ！　兵隊が残っていたら、そいつを使って援軍《えんぐん》が来るまでがんばりぬけ！」ってな。）

その言葉の通り、オノダは3人の部下とともにジャングル生活を続けたのだ。

1945（昭和20）年8月に終戦を迎《むか》えたときも、オノダたちはジャングルにこもっていた。

「日本は戦争に敗れた。隠《かく》れている者はすみやかに出てこい！」

こんな呼《よ》びかけが聞こえてきても、オノダは応《おう》じなかった。

「日本が負けたなんてウソだ。あれはオレたちをおびき寄《よ》せるワナなんだ！」

それに、オノダたちはただ隠《かく》れていたわけではない。

「そのうち、この島は日本軍が制圧《せいあつ》するだろう。そのときのために、周辺の情報《じょうほう》を集めておくんだ。つまり、作戦続行だ！」

オノダたちはそまつな小屋に住み、バナナやヤシの実を食べた。牛やブタを獲《と》ったり、トカゲを食べたこともあった。

何年もたつうちにオノダの部下の３人のうち、１人はここから去った。２人は死んでしまった。

オノダは１人きりになった。それでも、上官の言葉を忘《わす》れることはなかったのだ。

(最後の１人になったが――オレは日本のために戦いぬく！)

スズキとオノダは星ふる空の下、夜を徹《てっ》して語りあった。

オノダが「今の日本」についていろいろな質問《しつもん》を浴びせ、スズキはけんめいに説明した。

じつは、オノダは日本の状況《じょうきょう》をまるで知らなかったわけではない。島民からうばいとったラジオで、外国や日本のラジオ放送を聞いていたからだ。日本が豊《ゆた》かに繁《はん》栄《えい》していることも知っていた。でも、「日本の軍部」はどこかほかの土地に本拠地《ほんきょち》を移《うつ》して、戦争を続行していると信じていたのだ。

しかし、スズキと話すうちに疑問《ぎもん》がわいてきた。

（もしかして、本当に戦争は終わったのか？）

オノダは、スズキをまじまじとながめた。

（いや、わからんぞ。こいつはアメリカ軍の手先かもしれない）

しかし、そうとも思えない理由もあった。スズキはサンダルばきだった。軍人なら靴《くつ》をはくはずである。

「オノダさん、天皇陛下《てんのうへいか》やたくさんの日本国民があなたのことを心配しています。いっしょに帰ってくださいよ。」

しかし、オノダの意志《いし》は固かった。

「もし、戦争が終わったというのが本当だとしても、ここをはなれるわけにはいかん！　オレはそんな決断《けつだん》をできる地位ではない！」

結局、スズキはオノダを説得《せっとく》することはできず、一人、日本に帰っていったのだ。

オノダは、なぜ帰ろうとしないのだろうか。

オノダは上官の「1人になっても戦いぬけ」という言葉を守り続けていた。ただ隠《かく》れているわけではなく「戦っている」と自覚していた。「上官に任務《にんむ》を解《と》かれなければ帰るわけにはいかない」「任務《にんむ》を放棄《ほうき》することになる」と考えたから帰ろうとしなかったのである。軍人として「教育」されたすりこみは、それほどまでに強いものだったのだ。

これは終戦後29年間、フィリピンのルバング島にとどまり続けた小野田寛郎《おのだひろお》さんをモデルとした話。スズキのモデルである鈴木紀夫《すずきのりお》さんは説得《せっとく》をあきらめて一人で帰国したが、2週間後に小野田《おのだ》さんの元上官をともなって再《ふた》びルバング島を訪《おとず》れる。このとき元上官が「任務《にんむ》を解除《かいじょ》せよ」と「命令」したので、小野田《おのだ》さんは30年ぶりに日本に帰国したのだ。当時、小野田《おのだ》さんは51歳《さい》。ずいぶん様変わりした日本の様子になじめず、翌年《よくねん》にブラジルに渡《わた》って牧場経営《ぼくじょうけいえい》に従事《じゅうじ》。のち、日本で体験をふまえた講演《こうえん》活動、子どもの教育活動などを行った。

09 恐怖《きょうふ》の実験

理由↓なぜ？


ボタンをにぎるわたしの手は、じっとりと汗《あせ》ばんでいた。

こんな実験に参加しなければよかった。

知人から研究に協力してくれるボランティアを募集《ぼしゅう》していると聞いて……権威《けんい》ある大学の研究だからと信頼《しんらい》して参加することにしたのだが。


この実験は「教師《きょうし》」役と「生徒」役がペアになって行われている。

教師《きょうし》が記憶力《きおくりょく》を試す問題を出し、生徒役が答える――というかんたんなもの。

教師《きょうし》と生徒は別々《べつべつ》の部屋にいるので姿《すがた》は見えず、お互《たが》いに声だけが聞こえる仕組みになっている。

わたしは教師役《きょうしやく》だが……なんと生徒はイスに体を拘束《こうそく》されていて、手首には電極が取りつけられているという。

生徒が答えをまちがえたとき、教師《きょうし》は手元のボタンを押《お》して生徒に電気ショックの「罰《ばつ》」を与《あた》える。この実験は「罰《ばつ》を与《あた》えることで、学習能力《のうりょく》は向上するのか」を調べる実験なのだそうだ。


一番最初のボタンは15ボルトの電圧《でんあつ》だった。

これを押《お》したとき、ヘッドフォンの向こうから聞こえてきた生徒の声は「ははっ、ビックリした!」というむじゃきな笑い声だった。

しかし、彼《かれ》がまちがえるごとに——ボタンの電圧《でんあつ》はどんどん上がっていくのだ。

30ボルト、その次は45ボルト、60ボルト……。

頼《たの》むから、もうまちがえないでくれ。

祈《いの》るような気持ちで出題するが、わたしの生徒はどうもできがよくない。

罰《ばつ》を与《あた》えたからって学習能力《のうりょく》は上がらないじゃないか。

むしろ電気ショックが悪影響《あくえいきょう》を与《あた》えているんじゃないか？

この実験、どこまで続けなきゃならないんだ？


電圧《でんあつ》が上がるにつれて「いてっ！」とか「ううっ！」という苦しみの声が聞こえてくるようになってきた。

生徒の顔が見えないのがせめてもの救《すく》いだ。

そりゃあ痛《いた》みを受ける生徒の方が苦しいだろうけど、こっちもつらい。

不安になってきた。人間の体は何ボルトまで耐《た》えられるんだろう。

生徒役の人たちの健康診断《しんだん》とかはやってあるのか？　心臓《しんぞう》が弱い人は危《あぶ》ないんじゃないか？　死んでしまうこともあるんじゃないか？

だが、この実験の全責任《ぜんせきにん》は大学にある。万が一、生徒が死んでしまったとしてもわたしは罪《つみ》に問われない……よな？

いや、自分の責任《せきにん》じゃないからって、やっていいことなのか？

「この実験、だいじょうぶなんですか？」

淡々《たんたん》と指示《しじ》を出し続ける事務官《じむかん》の顔を見上げたが、彼《かれ》は表情《ひょうじょう》ひとつ変えない。

「そのまま続けて。次は300ボルト。すみやかにボタンを押《お》してください。」

まだやるのか？　そろそろ限界《げんかい》じゃないのか？

ボタンを押《お》すと、これまでで一番つらそうなうめき声が聞こえてきた。


生徒は、また答えをまちがえた。

「次は330ボルト。ボタンをどうぞ。」

もうガマンできない。

わたしは涙《なみだ》のにじむ目で事務官《じむかん》をにらみつけ、立ち上がった。

「罰《ばつ》を与《あた》えても学習能力《のうりょく》なんか上がらないってもうわかってるじゃないか。こんな実験、中止しろ！　わたしはやめさせてもらう！」

「では、ここでやめるということでよろしいですね。」

事務官《じむかん》は驚《おどろ》きもせず、止めようともしない。
このとき、わたしは強い違和感《いわかん》を覚え——この実験の真意に思い当たったのだ。
もしかして「実験の対象《たいしょう》」になっているのはわたしの方なんじゃないか⁉

主人公は、この実験にほかの目的があることに気づいた。真の目的とはどんなものか推理《すいり》してほしい。

解説《かいせつ》

この実験は「罰《ばつ》を与《あた》えることで生徒の学習能力《のうりょく》は上がるか」を調べる目的とされていたが、それはウソ。本当は、「権威《けんい》ある人から命令され、自分に責任《せきにん》がないのなら、人の命を危険《きけん》にさらす行動ができるかどうか」を調べるものだった。「生徒役」たちは全員事情《じじょう》を知っていた。実際《じっさい》には電流は流れておらず、痛《いた》がる演技《えんぎ》をしていただけだったのだ。

これは実話をモデルにした話。1963年にアメリカの心理学の専門家《せんもんか》、ミルグラム博士《はかせ》によって行われた「服従実験《ふくじゅうじっけん》」のエピソードをもとにしている。この実験では、先生役の35%ほどは途中《とちゅう》で辞退《じたい》したが、残りの人たちは「危険《きけん》」と表示《ひょうじ》される電圧《でんあつ》までボタンを押《お》し続けたという。この実験による研究は、人間心理を調べる上では有益《ゆうえき》と評価《ひょうか》されたものの、先生役の参加者に大きなストレスを与《あた》えた点で非《ひ》難《なん》を浴びることになった。

10

脱獄《だつごく》の天才

成功↓なぜ？

1944（昭和19）年、北海道の網走刑務所《あばしりけいむしょ》にて。

「シラトリ。今度こそは逃《に》がさないからな。」

看守《かんしゅ》はシラトリを牢屋《ろうや》にたたきこむと、力強く言い放った。

しかし、シラトリは不敵《ふてき》にも看守《かんしゅ》をにらみつけた。

「ふん。オレはここからだって逃《に》げてみせる！」

シラトリは、これまでに2回も脱獄《だつごく》を成功させていた。

強盗殺人《ごうとうさつじん》の罪《つみ》で青森刑務所《けいむしょ》に入れられたのは9年前、27歳《さい》のとき。日課の運動をするために牢屋《ろうや》の外に出されたときに拾った針金《はりがね》で、カギを作って逃《に》げ出している。ただし2日後につかまってしまうと――脱獄囚《だつごくしゅう》とあって、次の秋田刑務所《けいむしょ》ではかなりきびしい監視下《かんしか》に置かれた。その牢屋《ろうや》は、ゆかはコンクリートで、3メートルの高さの天井《てんじょう》に窓《まど》があるだけだ。

だが、シラトリはここからも脱出《だっしゅつ》してしまう。直角のかべに両手両足をつっぱらせてスルスル登ると、窓《まど》からはずしたブリキとクギでノコギリを作った。そのノコギリで窓《まど》の木ワクを切って逃《に》げ出したのである。身体能力《しんたいのうりょく》が並《なみ》はずれている上に、手先も器用ときている。

しかし、逃《に》げおおせたあとはかつてお世話になった東京の看守《かんしゅ》のもとを訪《たず》ね、自首している。そしてまたまた送りこまれたのが、全国の重罪人《じゅうざいにん》を収容《しゅうよう》することで知られる網走刑務所《あばしりけいむしょ》だった。

ここは日本最北端《さいほくたん》の刑務所《けいむしょ》。ただでさえ寒さがきびしいのに、真冬でもうすい着物一枚《まい》しか与《あた》えられず、シラトリの体はいつも寒さでしびれっぱなしだった。

食事は少ないご飯に、菜っぱがほんの少し浮《う》かんだみそ汁《しる》とタクアン。ほかのおかずがつくことはめったにない。

しかも、両手にはおもりつきの手錠《てじょう》。足首にも手錠《てじょう》と同じような「足錠《あしじょう》」がかけられている。食事のときも手錠《てじょう》をかけたままなので、犬のようにおわんに顔をつっこんで食べた。ふろは入らせてもらえない。たまに看守《かんしゅ》が体をふいてくれるときだけ、手錠《てじょう》と足錠《あしじょう》がはずされた。運動をする機会もない。

(これじゃ死んでしまうかも。どうにか逃《に》げ出さなくちゃ……。)

まず、なんとかしなくてはならないのは手錠《てじょう》と足錠《あしじょう》だ。

(人間が作ったものなんだから、人間がこわせないわけはない。)

シラトリはこう信じていた。看守《かんしゅ》の目をぬすんで手錠《てじょう》と足錠《あしじょう》をガンガンぶつけあい、ネジにかみつく。おかげで歯が2本折れたが、半年ほどたつとネジは少しゆるんできていた。

(よし、これならきっとはずせるぞ！)

次の問題は、どこから逃《に》げ出すか。前のようにカギを作る針金《はりがね》は手に入りそうもない。となると――。

牢屋《ろうや》の木のとびらはぶあつく、これを破《やぶ》るのは不可能《ふかのう》だ。

(可能性《かのうせい》があるとすれば、これか。)

シラトリは立ち上がると、とびらの監視窓《かんしまど》をながめた。

監視窓《かんしまど》は1メートル40センチほどの高さのところにあり、鉄ワクに5本の鉄棒《てつぼう》がタテに溶接《ようせつ》されている。いわゆる鉄格子《てつごうし》である。

(窓《まど》は、たて20センチ、横40センチってとこだな。なら、鉄格子《てつごうし》さえはずせれば脱出《だっしゅつ》できる!)

ふつうなら大人がこんなせまい穴《あな》からぬけ出るのは無理だ。しかし、シラトリには変わった特技《とくぎ》があった。自由自在《じゆうじざい》に肩《かた》をはずすことができるのだ。首や肩《かた》をクイクイッと動かすと、肩《かた》の関節がはずれて両腕《りょううで》がだらりと下がる。そして、また骨《ほね》を元の場所に押《お》しこむ――というのをラクラクやってのける。

シラトリは監視窓《かんしまど》をじっと見つめた。

（鉄棒《てつぼう》を鉄ワクからはずすのは無理だ。鉄ワク自体は木のとびらにボルトでとめられている。このボルトさえはずせれば……。）

とはいえ、鉄格子《てつごうし》がじゃまでボルトにかみつけそうにない。

（何かボルトをゆるめる方法はないか。使えるものはないか？）

牢屋《ろうや》の中には何もないのだが――。

「飯だぞ。」

看守《かんしゅ》のぶっきらぼうな声が聞こえたとき、シラトリはその方法を考えついたのだ。

シラトリはどんな方法を思いついたのだろうか。ヒントは看《かん》守《しゅ》の運んできた食事にある。

解説《かいせつ》

シラトリが目をつけたのは、みそ汁《しる》だ。シラトリは食事のたびにみそ汁《しる》を口にふくみ、木のとびらに鉄ワクをとめつけているボルトにかけ続けたのだ。みそ汁《しる》の水分と塩分によって少しずつ木が腐《くさ》り、ボルトが浮《う》いてきた。3か月ほどたつと、鉄ワクがサビてきたという。頭で押《お》すと木と鉄ワクの間にすき間ができたので、ここから鉄ワクをはずし、まんまと脱出《だっしゅつ》したのである。

これは昭和の脱獄王《だつごくおう》と呼《よ》ばれた実在《じつざい》の人物・白鳥由栄《しらとりよしえ》の話を元にしたもの。3回目の脱獄《だつごく》をした白鳥《しらとり》は、またつかまって4回目の脱獄《だつごく》をすることに。このときは床《ゆか》下《した》からトンネルを掘《ほ》って脱出《だっしゅつ》している。

この後に自首して懲役《ちょうえき》20年の刑《けい》が決まると模範囚《もはんしゅう》として過《す》ごした。54歳《さい》で出所を許《ゆる》されたのちは定職《ていしょく》についてまじめに暮《く》らしたという。

11

幸福な死刑《しけい》

方法→なぜ？

200年ほど昔のフランスにて。

「親方、いったい何を作ってるんですかい？」

アランは目を白黒させた。アランの主人であるシュミットはすぐれた大工で、いろいろな道具の製作依頼《せいさくいらい》が舞《ま》いこむ。しかし、今、アランの目の前にあるのは見たこともない形で、何に使うものか想像《そうぞう》もつかない。

シュミットはアランの質問《しつもん》には答えずに言った。

「アラン、そのキャベツをここに置いてくれ。」

「はぁ……。」

アランはおそるおそるキャベツを台の上に置いた。

「ありがとう。アラン、下がってくれ。」

シュミットが、その道具についているおもりをはなすと――上から刃物《はもの》が落ちてきてキャベツはスパッと真っ二つになったのだ。

「ひえぇえぇえぇっ！」

アランは驚《おどろ》いて後ずさった。シュミットはキャベツの断面《だんめん》をながめて「ふむ……もう少し刃物《はもの》をななめにした方がいいかな」などとつぶやいている。

「親方、これは何に使うものですか？」

「これは、死刑囚《しけいしゅう》の首を切り落とす処刑《しょけい》道具だ。」

そう、シュミットが作ったのはギロチンだったのである。

ギロチンが登場するまでは、死刑《しけい》は首斬《くびき》り役人がおのをふるって行っていた。あるいは火あぶりやしばり首など、さまざまな方法があったのだが……。

アランは身ぶるいした。

「なんて残酷《ざんこく》な！　どうしてこんなものを作ったんですか？」

「ギヨタンさんに依頼《いらい》されてね。」

ギヨタンとは医学博士《はくし》であり、国民議会の議員でもある名士《めいし》だ。

シュミットは、そのぶっそうな器械に手をかけながら重々《おもおも》しく言ったのである。

「ギヨタンさんは残酷《ざんこく》な人間ではない。むしろその反対だ。できるかぎり人間を大切にしようとする、誠実《せいじつ》で道徳心ある人だ。わたしはこの仕事を依頼《いらい》されたことを心から名誉《めいよ》に思っているよ。」


シュミットは「ギロチンを考えた人は残酷《ざんこく》どころか、その反対で誠実《せいじつ》な人間」と評価《ひょうか》した。どのような意味でそう言ったのか推理《すいり》してほしい。

解《かい》説《せつ》

ギロチンが登場する以前は、首斬《くびき》り役人が剣《けん》やおのを使って首を落としていた。しかし、一撃《いちげき》で首を斬《き》り落とすのは難《むずか》しい。下手な人だと30分ほどかかることもあり、受刑者《じゅけいしゃ》はもだえ苦しむことになった。ギヨタンは「死刑囚《しけいしゅう》ができるだけ苦しまない」ことを意図してギロチンを発案したのである。やむを得《え》ず死刑《しけい》にしなくてはならないなら、できるだけ苦痛《くつう》がないようにと考えたわけだ。

ギロチンの原型《げんけい》はヨーロッパに存在《そんざい》したそうだが、完成度が低く、切れ味が悪かったらしい。ギヨタンの発案を受け、ルイという医師《いし》が工夫を加えた設計図《せっけいず》を作成、ドイツ人の大工・シュミットが製作《せいさく》を担当《たんとう》した。

ギロチンといえば、フランス革命後《かくめいご》、ルイ16世とともに死刑《しけい》になった王妃《おうひ》マリー・アントワネットを思《おも》い浮《う》かべる人が多いだろう。当時のフランスは政情《せいじょう》が不安定であり、多くの逮捕者《たいほしゃ》が生まれては死刑《しけい》になった。ギロチンがよくできていて便利なあまり、手軽に死刑《しけい》が行われすぎたのではないかとする見方もある。

12

もう一度食べたい

成功↓なぜ？

ときは1940年代後半、ソ連（現在《げんざい》のロシア）のシベリアにて。

「今夜はいちだんと冷えるな。」

「ああ。それに腹《はら》が減《へ》って眠《ねむ》れやしねぇ。」

捕虜収容所《ほりょしゅうようじょ》で暮《く》らす日本人たちにとって、これはお決まりの会話だった。

シベリアは夏には猛烈《もうれつ》に暑くなるが、冬は極寒の土地である。マイナス30度は当たり前、マイナス50度を下回る日もあるほどだ。

「なぁ、日本に帰れたら最初に何を食いたい？」

「オレはライスカレーかな。」

「炊《た》きたての白いご飯を腹《はら》いっぱい食いたいな。」

みんなはよくこんなふうに食べたい物の話をした。そして、最後にはだれかがムラカミにこう言うのだった。

「ムラカミ、なんかうまい物の話をしてくれよ。おまえは帝国《ていこく》ホテルの料理人だったんだろ?」


ムラカミは小学校を卒業してからレストランなどで働き始め、18歳《さい》のときに帝国《ていこく》ホテルに入社した。フランス料理のコック見習いとして歩み始めた矢先に第二次世界大戦が勃発《ぼっぱつ》。2年後に徴兵《ちょうへい》されて戦地におもむき——日本の敗戦を知ったときには朝鮮《ちょうせん》半島にいた。

「戦争が終わった! 日本に帰れる!」と喜《よろこ》んだが、そうはいかなかった。

ムラカミたちが乗った船の行き先は故郷《こきょう》ではなくシベリアで、彼《かれ》らは捕虜《ほりょ》として働かされることになったのである。

ムラカミが命じられたのは木の伐採《ばっさい》だった。太い木を切り倒《たお》し、丸太を運ぶのは重労働である。

しかも、与《あた》えられる食べ物のそまつなこと。1回の食事はちっぽけな黒パンに、ひとかけらのトマトが入ったスープ。スープといってもうすい塩味がするくらいだ。ほかに出る食べ物といえばジャガイモ3かけだったり、わずかな雑穀《ざっこく》や豆、肉か魚のきれっぱしが入ったスープだったり。

少しでも腹《はら》をふくらませようと、監視役《かんしやく》の目をぬすんでゴミをあさり、凍《こお》ったジャガイモの皮やリンゴのしんでスープを作ることもあった。ムラカミはこんなときに力を発揮《はっき》したものである。

栄養失調と過酷《かこく》な労働で、だれもが枯《か》れ枝《えだ》のようにやせ細っていた。病気にかかればあっという間に弱って寝《ね》ついてしまう。次々《つぎつぎ》に仲間が死んでいく――そんな日常《にちじょう》を送りながら、ムラカミたちは日本に帰れると信じ、歯を食いしばって生きていたのである。

ある、とても寒い日のこと。

ムラカミは仲間といっしょに、何日も寝《ね》たきりのヤマダをかこんでいた。

ムラカミはせいいっぱい明るい顔をつくって、声をかける。

「ヤマダ、何か食べたい物はないか？」

じつは、さきほど――軍医にこう聞かされていたのだ。

「あいつはもう長くない。最後に好きなものを食べさせてやれ」と。

ヤマダは苦しげにせきこむと、目をギョロリと動かした。げっそりとやつれた顔に、ほんの少し光がさす。

「そうだなぁ……。パイナップルが食べたいなぁ。」

(パイナップルだって⁉)

ムラカミたちは顔を見合わせた。パイナップルなんて手に入るわけがない。ヤマダが言っているのは缶詰《かんづめ》のパイナップルのことだが、それにしたって絶望的《ぜつぼうてき》だ。

「わかった。パイナップルだな。必ず食べさせてやる！」

こう言い切ったムラカミを、仲間たちは驚《おどろ》きのまなざしで見つめた。

数時間後。

ヤマダは、ムラカミが口に運んでくれる黄色い果実をおいしそうに味わっていた。

「ああ、あまずっぱい。この味だ……うまい！　なんてうまいんだ！」

死の宣告《せんこく》を受けたはずのヤマダはこの日を境《さかい》に驚異的《きょういてき》な回復《かいふく》をとげ、やがてムラカミたちといっしょに日本に帰国することになったのである。

缶詰《かんづめ》のパイナップルは入手できなかったが、ムラカミはパイナップルの代用品を作った。何を使ったのだろうか。

答えはリンゴ。ムラカミはソ連兵に頼《たの》みこんでリンゴを分けてもらい、輪切りにして芯《しん》を丸くくりぬいた。パイナップルらしく見えるように外側をギザギザにカットして、甘《あま》く煮《に》たのである。これは帝国《ていこく》ホテルの11代料理長を務《つと》めた村上信夫さんの体験をもとにした話。元気になったヤマダ（創作上《そうさくじょう》の名前）は「もう一度パイナップルを食べたい一心で回復《かいふく》した」と語り、村上さんは「食べ物の持つ力を改めて実感した」という。

第二次世界大戦後、朝鮮《ちょうせん》半島北部や満州（中国東北部）などにいた日本人の兵士《へいし》や民間人は捕虜《ほりょ》としてシベリアなどに連れていかれ、1～11年間も強制《きょうせい》労働をさせられた。一説には捕虜《ほりょ》となったのは約60万人、うち約7万人が死亡《しぼう》したといわれる。村上さんは1947（昭和22）年に帰国し、帝国《ていこく》ホテルに復帰《ふっき》。日本初のバイキング形式のレストランの開店、1964（昭和39）年の東京五輪選手村食堂《しょくどう》の料理長を務《つと》めるなどの活躍《かつやく》で知られる。

13

執《しゅう》念《ねん》の一《いっ》策《さく》

成功→なぜ？

ときは1453年。

オスマン帝《てい》国《こく》の若《わか》き王、メフメト2世は燃《も》えるような瞳《ひとみ》でコンスタンティノープルの城《じょう》壁《へき》を見つめていた。

「絶《ぜっ》対《たい》にコンスタンティノープルを手に入れてみせる。わがオスマン帝《てい》国《こく》をさらに拡《かく》大《だい》するためには、ここが必要なんだ。」

コンスタンティノープルは、東ローマ帝《てい》国《こく》の首都である。1000年もの間続いた東ローマ帝《てい》国《こく》はしだいにおとろえ、今ではほとんどの領《りょう》土《ど》を失って、コンスタンティノープルが「都市国家」として残るのみだった。

それでもコンスタンティノープルが滅《ほろ》びずにいたのは2つの理由がある。ひとつは収入源《しゅうにゅうげん》が確保《かくほ》されていたこと。コンスタンティノープルは、地中海と黒海を結ぶ海峡《かいきょう》のそばにある。この海峡《かいきょう》はヨーロッパの国々《くにぐに》の貿易船《ぼうえきせん》にとって重要な場所。コンスタンティノープルは海峡《かいきょう》の通行料を取っていたので、お金に困《こま》らなかったのだ。

もうひとつの理由は「世界一かたい守り」といわれた城壁《じょうへき》である。領土《りょうど》を守る城《じょう》壁《へき》は、三重になっていた。内側の城壁《じょうへき》は高さ17メートル、厚《あつ》さ5メートル。一番外側には高さ10メートル、厚《あつ》さ3メートルの城壁《じょうへき》が築《きず》かれている。さらに、この2つの城壁《じょうへき》の間に高さ40メートルの塔《とう》がそびえるという具合。

城壁《じょうへき》のまわりを囲《かこ》んでも、人間が乗りこえるのは絶対《ぜったい》に不可能《ふかのう》だ。唯一《ゆいいつ》、攻《せ》めこむとすれば海だ。城の北側に面した金角湾《きんかくわん》という入江《いりえ》は波がおだやかである。

だが、この金角湾《きんかくわん》の入り口は、がんじょうな鉄の鎖《くさり》で封鎖《ふうさ》されていて、大きな船をもってしても突破不可能《とっぱふかのう》だったのだ。

そこで、メフメト2世はハンガリー人から最新の大砲《たいほう》を買い入れた。

オスマン軍は、いち早く鉄砲《てっぽう》も取り入れていたが、遠くから城壁《じょうへき》を攻撃《こうげき》するには鉄砲《てっぽう》は力不足だ。

大砲《たいほう》の弾《たま》は巨大《きょだい》な石だが——いや、石でも威力《いりょく》はなかなかだ。なにしろこの大砲《たいほう》は500キロもの石を、1・5キロ先まで飛ばすことができるのだ。

「よし、外壁《がいへき》に当たったぞ！」

オスマン軍の兵士《へいし》たちは、城壁《じょうへき》に穴《あな》が空いたのを見てこおどりする。

しかし、残念ながら、この大砲《たいほう》は連続して発射《はっしゃ》することができない。さらにいうと、命中率《めいちゅうりつ》も低い。

城壁《じょうへき》にダメージを与《あた》えても、次の日には元どおりに修復《しゅうふく》されてしまうのだった。

この調子では、三重の壁《かべ》を破《やぶ》るのはいつのことやら……。

「せっかく高い金を出して大砲《たいほう》を買ったのに役に立たん！」

メフメト2世はイライラしてどなった。

（何かほかの方法を考えなくては。だいたい、兵士《へいし》の数はくらべものにならないんだ。）

オスマン軍の兵士《へいし》は、傭兵《ようへい》（お金を払《はら》ってやとった外国人の兵士《へいし》）を加えると10万人ほど。一方のコンスタンティノープル側は７０００人そこそこだ。

（領地《りょうち》に入りこめさえすれば、あっという間に征服《せいふく》できる。）

メフメト2世は重々《おもおも》しく口を開いた。

「やはり何がなんでも艦隊《かんたい》で金角湾《きんかくわん》に入るしかない。金角湾《きんかくわん》から戦艦《せんかん》で攻《せ》めこめば、わが軍の勝利は目に見えているんだ！」

「ですが、金角湾《きんかくわん》にはりめぐらされている鎖《くさり》を破《やぶ》るのは無理です。海からの侵入《しんにゅう》は不可能《ふかのう》ですよ！」

メフメト2世の側近たちは、口をそろえてこう言った。これまで、何度も同じ議《ぎ》論《ろん》をしてきたのだ。無理なものは無理。みんなそう思っていた。

しかし、メフメト2世は——だれも考えつかなかった作戦を口にしたのである。
「戦艦《せんかん》を持ち上げて山を通れば、鎖《くさり》の向こう側の海に戦艦《せんかん》を下ろせるじゃないか。」

もちろんクレーンなどはない時代。巨大《きょだい》な戦艦《せんかん》を山をこえて海に運び入れる方法はあるのだろうか。

解説《かいせつ》

メフメト2世の作戦は「コロの原理」を使うもの。荷の下に丸太をしき、荷物を載《の》せて引っぱると丸太が回転し、重いものも少しの力で移動《いどう》させることができる。オスマン軍は人員豊富《ほうふ》だったのでこれなら可能《かのう》だった。牛の群れが戦艦《せんかん》を引っぱり、たくさんの人たちが横と後ろから押《お》し上げる――このやり方で60隻《せき》もの戦艦《せんかん》を山の上に引き上げることができたのだ。海からの風が船の帆《ほ》を張《は》り、さらに押《お》し上げてくれたという。それにしてもコンスタンティノープル軍の人々《ひとびと》は、山の上から海に向かってすべり下りてくる船に気づいたとき、どんなにビックリしただろう。守りのうすい金角湾《きんかくわん》がオスマン軍の戦艦《せんかん》でいっぱいになると、決着がつくのはあっという間だった。これが歴史《れきし》に名高い「コンスタンティノープルの陥落《かんらく》」「オスマンの山越《やまご》え」事件《じけん》だ。実際《じっさい》は山というより丘《おか》くらいらしいが、たいへんなことに変わりはない。コンスタンティノープルは、現在《げんざい》のトルコのイスタンブール。今も東ローマ帝国《ていこく》時代の遺産《いさん》が残され、多くの観光客を集めている。

14

女《おんな》志《し》士《し》になりたくて

採用《さいよう》↓なぜ？

「はじめまして。タケオセイコと申します。どうかわたしをここに置いてください。世の中が混乱《こんらん》している今、とにかく尊皇攘夷《そんのうじょうい》の活動をしなくてはという一心で、生まれて初めて信濃国《しなののくに》（現在《げんざい》の長野県《ながののけん》）の外に出たのです。わたしはもう52歳《さい》です。お役に立てるなら、この地で死んでもまったく後悔《こうかい》はございません。」

わたしは、圧倒《あっとう》されるような目の輝《かがや》きを放つタケオさんをまじまじと見つめた。

「はぁ、ずいぶん遠くからはるばる、よくいらっしゃいました。ごりっぱな志《こころざし》をお持ちですね。」

徳川家康《とくがわいえやす》が江戸幕府《えどばくふ》を開いてから250年以上がすぎていた。

長く平和な世の中が続いてきたが、昨今は政治《せいじ》が不安定になっている。

そうなったきっかけの一つは、幕府《ばくふ》が天皇《てんのう》に許《ゆる》しも得《え》ず、アメリカなどの外国と貿易《ぼうえき》を行うことを決めてしまったことにある。

しかも貿易《ぼうえき》の条件《じょうけん》が日本にとって不公平なものだったせいで物価《ぶっか》は上がる一方。庶民《しょみん》の生活はとても苦しくなっているのだ。

そんな中で「江戸幕府《えどばくふ》を倒《たお》そう」「天皇《てんのう》を中心とした新しい体制《たいせい》を作るべきだ」「外国とのつきあいはやめるべきだ」という考えを持つ人が増《ふ》え、大きな勢力《せいりょく》となったのは自然な流れだろう。

この「尊王攘夷運動《そんのうじょういうんどう》」をリードしたのは主にわたしのような学者や、「打倒《だとう》、徳川幕府《とくがわばくふ》」を目指す武士《ぶし》たちだ。そこに「世の中を変える政治《せいじ》運動に参加したい」という意志《いし》を持った一般《いっぱん》の人々《ひとびと》が続々《ぞくぞく》と参加し始めた。

このタケオさんもその一人。家族に許《ゆる》しを得《え》て、ここ京都にやって来たという。同志《どうし》が増《ふ》えるのはありがたいが、女性《じょせい》じゃなぁ。

しかも52歳《さい》だしなぁ……。

「タケオさん、活動はかなり危険《きけん》なことが多いですよ。」

あきらめてもらいたいところだが、タケオさんはにっこり笑って答える。

「そうでしょうとも。わたし、武芸《ぶげい》の心得《こころえ》はありませんので、徳川幕府《とくがわばくふ》を支持《しじ》する武士《ぶし》を斬《き》ってこいと命令されたらこまりますが……。」

うわっ。この人、だいぶキモが据《す》わっているな！

「まさか。うちではそんな命令はしません。ここでは幕府《ばくふ》を倒《たお》すための政治的《せいじてき》な作戦や方針《ほうしん》を話しあうことが多いのです。敵方《てきがた》に探《さぐ》りを入れたり、朝廷《ちょうてい》（天皇《てんのう》や貴族《きぞく》が政治《せいじ》を行う場所）や、仲間の武士《ぶし》に秘密《ひみつ》の文書を届《とど》けるといった任務《にんむ》はありますがね。」

タケオさんは、ゆっくりうなずいた。

「わたしはこの年まで毎日畑仕事をしてきました。さいわい足腰《あしこし》はじょうぶです。見張《みは》りだって尾行《びこう》だってまかせてください。田舎《いなか》の人間ですが、夫といっしょにいろいろな本を読んで、今の日本について勉強してきました。国がダメになっていくのをだまって見ているのはいやなのです。どんな危険《きけん》な任務《にんむ》でもやる覚悟《かくご》です。」

うむ。どこから見ても本気である。

集まりのときの炊《た》き出しやお茶の用意でも手伝ってもらってごまかそうかと思っていたが、この人はそれじゃ納得《なっとく》しないだろうな。

断《ことわ》るなら、こっちもきっぱりした態度《たいど》をとらないと。

わたしはせきばらいをして、口を開いた。

「ちなみに、タケオさんは何か特技《とくぎ》はありますか？」

タケオさんはおずおずと答えた。

「和歌でしたら、少々《しょうしょう》自信があります。」

「ほう、風流ですねぇ。おうらやましい。わたしはさっぱり下手くそでして。」

そのとき、ひらめいたのだ。

もしかすると、タケオさんはものすごく使えるかもしれない。

「タケオさん、ぜひわたしどもの仲間になってください。歓迎《かんげい》します。」

主人公は「特技《とくぎ》は和歌」と聞いて、タケオさんを仲間に入れる決断《けつだん》をした。なぜ役立つと考えたのだろうか。

解説《かいせつ》

和歌が得意《とくい》なら「女流歌人」ということにしておけば、朝廷《ちょうてい》に出入りしたり、公家《くげ》（朝廷《ちょうてい》に仕える役人）と仲間の武士《ぶし》の間で情報《じょうほう》をとりもつ役割《やくわり》にピッタリだからだ。皇族《こうぞく》や貴族《きぞく》の社会では、和歌を作って発表する「歌会」がひんぱんに行われるので、一般《いっぱん》の女流歌人が出入りするのは自然そのもの。また、和歌を秘密《ひみつ》の情報《じょうほう》を伝える「暗号文」にすることも可能《かのう》だと考えたのだ。

これは実在《じつざい》した松尾多勢子《まつおたせこ》という女性《じょせい》をモデルにした話。松尾《まつお》さんは52歳《さい》のときに日本の未来を心配して京都に出発。「尊王攘夷派《そんのうじょういは》」のスパイとなって大活躍《だいかつやく》した。パッと見はふつうのおばさんなので、あやしまれにくかったという。機転がきいてかしこく、どっしりキモが据《す》わった人柄《ひとがら》も仲間に評価《ひょうか》された。「徳川幕府消滅《とくがわばくふしょうめつ》→明治維新《めいじいしん》」を担《にな》った重要人物、岩倉具視《いわくらともみ》にも信頼《しんらい》され、のちに岩倉家《いわくらけ》に仕えたことも。明治維新《めいじいしん》の影《かげ》の功労者ともいえる、知る人ぞ知る「女志士《おんなしし》」なのである。

15

だれでも乗れるバイク

成功↓なぜ？

１９５７（昭和32）年。

自動車やバイクを手がけるH《エイチ》技研《ぎけん》工業のホンダ社長とフジサワ専務《せんむ》は、社員たちと「次にどんなバイクを作るべきか」を熱っぽく語り合っていた。

戦後12年を経《へ》て、日本はのちに「高度経済《けいざい》成長期」と呼《よ》ばれる時代にさしかかっていた。技術革新《ぎじゅつかくしん》が進み、電化製品《せいひん》や自動車産業、化学工業などが発展《はってん》し、人々《ひとびと》の生活はどんどん便利になっていた。ただし自動車はまだ高価《こうか》で一部の人しか手が届《とど》かない存在《そんざい》で、手軽なオートバイの人気が急上昇《きゅうじょうしょう》していた。

「わが国はまだほそうされた道路が少なくて、でこぼこの道が多い。安定感のあるバイクを目指そう。」

「パワーのあるがんじょうなバイクですかね？　スピードを出してぶっ飛ばしてもぐらつかないようなな。」

バイクレースの好きな若手《わかて》社員がニコニコして言う。この会社では海外のロードレースに参戦することを宣言《せんげん》しており、スポーツタイプのバイクの開発も進めている最中だった。

しかし、ホンダ社長はゆっくりと首を横にふる。

「いや、今考えてるのはそういうバイクじゃない。バイクが広まってる今だからこそ、本当に日本人が求めているバイクを世に出したいんだ。人を選ばず、みんなの交通手段《しゅだん》になるような小型《こがた》バイクがいい。キーコンセプトは『だれでも乗れるようなバイク』だ！」

フジサワ氏は窓《まど》の外に目をやり、バイクに乗っている人を観察しはじめた。

(後ろに荷物をいっぱい積んでるスーツの兄さんはセールスマンかな。皮ジャンにジーンズ……最近、ああいうファッションの若《わか》い男、多いな。作業服姿《すがた》のおじさんが乗っているのはZ《ゼット》社の最新型《さいしんがた》か。最高時速110キロっていう。お、2人乗りが来た。ちょびヒゲのお父さんが後ろに乗っけてるのは奥《おく》さんかなぁ……。)

「だれでも乗れる」と言うのはかんたんだが、「だれでも」とはどういうことなのか真剣《しんけん》に考える必要があった。

そしてフジサワ専務《せんむ》は、ふと思ったのだ。

「それには、逆《ぎゃく》に……今バイクに乗っていないのはどんな人かを考えれば答えは出るんじゃないか?」

「だれでも乗れるバイク」は、これまでバイクに乗ったことがない人たちを取りこむことを目指し、大成功をおさめた。どんな人を想定して開発されたのだろうか。

解説《かいせつ》

彼《かれ》らが開発するときに念頭に置いたのは「女の人が乗りたくなるようなバイク」だった。これは、ホンダ技研《ぎけん》工業が1958（昭和33）年に発売した「スーパーカブ」という50cc《シーシー》バイクの開発秘話《ひわ》をもとにした話である。スーパーカブはよく新聞配達員やおそば屋さんの出前に使われていることでおなじみのバイクだ。

開発時には、さまざまな工夫が考えられた。スカート姿《すがた》でもまたがりやすい細身の形。乗り降《お》りしやすく、小柄《こがら》な人でも足がつくように小さいタイヤを特注し、多くのバイクではむきだしになっていたエンジンをかくしてスマートな外見に。車体は軽く、操作《そうさ》もできるだけかんたんにした。ねらい通り、女性《じょせい》はもちろん、幅広《はばひろ》い人々《ひとびと》の心をつかみ大ヒットした。

超《ちょう》ロングセラー商品となったスーパーカブは日本だけでなく、今も世界中で販売《はんばい》されている。

16

小説家の遺言《ゆいごん》

遺言《ゆいごん》→なぜ？

ときは江戸《えど》時代。

病の床《とこ》にある十返舎一九《じっぺんしゃいっく》がうすく目を開けると、弟子《でし》たちはわっと前に乗り出した。

「一九《いっく》先生！　一九《いっく》先生が目を開けたぞ！」

十返舎一九《じっぺんしゃいっく》は、『東海道中膝栗毛《とうかいどうちゅうひざくりげ》』という大ベストセラーを書いた超《ちょう》人気小説家である。『東海道中膝栗毛《とうかいどうちゅうひざくりげ》』は弥次《やじ》さん、喜多《きた》さんという2人の男が東海道を旅して回る物語。旅のとちゅうで2人がバカな失敗をやらかしたり、だまされたり、あるいは人をひっかけようとして逆《ぎゃく》に大損《おおぞん》をしたり――爆笑《ばくしょう》に次ぐ爆笑《ばくしょう》のユーモア小説だ。

本は飛ぶように売れ、一九《いっく》はこの続編《ぞくへん》を21年も書き続けたのだ。

そんなおもしろい小説を書いた一九《いっく》は、かなりの変人だった。

お金が入るそばからお酒に使ってしまうので、売れっ子作家なのにびんぼう暮《ぐ》らし。お正月に餅《もち》を買うお金もなく、かがみ餅《もち》の絵を描《か》いて壁《かべ》にはり――「これがホントの『絵に描《か》いた餅《もち》』(上手《じょうず》に描《か》いてあっても食べられないことから「役に立たない」「値《ね》打《う》ちがない」という意味のことわざ)」などとすましていたこともある。

弟子《でし》たちが心配そうに見守るなか、一九《いっく》先生は淡々《たんたん》と言った。

「わしゃあ、もう長くないだろう。自分の体のことは自分が一番よくわかっとる。」

「そんなこと言わないでください!」

「何かしてほしいことはありませんか?」

一九《いっく》は苦しそうにせきこんでから、ニヤリとした。

「あー、ひとつだけ遺言《ゆいごん》がある。わしが死んだら、ふろに入れて体を清めたりしないでほしい。今着ている、この着物のまま火葬《かそう》してくれ。必ずだぞ。」

そう言い残し、一九《いっく》はほどなく息を引き取った。

「それにしても先生はおかしな遺言《ゆいごん》を残したもんだなぁ。」

弟子《でし》たちは不思議に思いながらも一九《いっく》の言葉を守ることにした。

彼《かれ》らは一九《いっく》の天才的なユーモアのセンスを尊敬《そんけい》していた。しかし、まさか死ぬときにまで、人をビックリさせるいたずらをしこんでいたとは思いもしなかったのである。


一九《いっく》はどんないたずらをしかけたのだろうか。

解説《かいせつ》

弟子《でし》たちは遺言通《ゆいごんどお》り、死んだときに着ていた着物のまま一九《いっく》をお棺《かん》に入れ、火葬《かそう》場《ば》に運んだ。そして、燃《も》やし始めると――お棺《かん》は大きな爆発音《ばくはつおん》とともに火花を散らしたので、集まっていた人たちは腰《こし》をぬかすほど驚《おどろ》いた。一九《いっく》は、着物のふところに線香花火をたくさんつめこんでいたのである。自分の死まで、まるで小説の世界を地でいくようなゆかいな演出《えんしゅつ》をしてみせたのはあっぱれである。

一九《いっく》は死の直前に「この世をば　どりゃ　おいとまに　線香の煙《けむり》とともに灰《はい》さようなら」という歌を残している。前半は「さて、そろそろこの世を去りますよ」という意味。お線香を燃《も》やしたときに出る「灰《はい》」と「ハイ、さようなら」をかけているのもうまい！「線香」は「線香花火」を指していたのかもしれない。

17

巨匠《きょしょう》は引《ひ》っ越《こ》しがお好き

理由→なぜ？

200年ほど昔、まだ東京が「江戸《えど》」と呼《よ》ばれていた時代。

「北馬《ほくば》さん！　北馬《ほくば》さん！」

北馬《ほくば》が戸を開けると、そこには顔見知りの編集者《へんしゅうしゃ》が立っていた。

「あの〜、北斎《ほくさい》先生がどこに引《ひ》っ越《こ》したかご存知《ぞんじ》ないですかね？」

（北斎《ほくさい》先生、また引《ひ》っ越《こ》しちゃったのか。）

北馬《ほくば》は、高名な浮世絵師《うきよえし》・葛飾北斎《かつしかほくさい》の弟子《でし》である。編集者《へんしゅうしゃ》はそれで、手がかりを求めてやってきたわけだ。

「悪いが、知らないんだよ。先生は思い立ったらすぐに引《ひ》っ越《こ》しちゃうからなぁ。」

「そうですか。お願いしたい仕事があったんですがねぇ。」

北馬《ほくば》はニヤニヤして、編集者《へんしゅうしゃ》をながめた。

「あんたはまだ編集者《へんしゅうしゃ》の仕事についたばかりだったね。北斎《ほくさい》先生は一流だけど、すごい変人だからつきあうのはなかなかたいへんだよ。」

「ええ、うわさは聞いてます。」

葛飾北斎《かつしかほくさい》は若《わか》いころから小説のさし絵の仕事で人気を得《え》るかたわら、さまざまな技法《ぎほう》を研究しまくり、オリジナルの画風をつくりあげた天才画家だ。富士山《ふじさん》をモチーフとした『富嶽《ふがく》三十六景』が大ヒットすると、さらに売れっ子になった。

だが、いかにも天才的な芸術家《げいじゅつか》らしく、ふつうの人間には想像《そうぞう》できないとっぴな行動に走りがちなのだ。

「葛飾北斎《かつしかほくさい》」は画号《がごう》（ペンネーム）だが、名前をしょっちゅう変えている。本人は「名前で作品を評価《ひょうか》されたくないから」と、なかなかりっぱな理由をのべているが、お金に困《こま》ると弟子《でし》に画号を売っているとも聞く。もうかっているのに、お金は無計画に使ってしまうのだ。

そして、やたらに引《ひ》っ越《こ》しをするのも困《こま》ったクセである。

「北斎《ほくさい》先生は、なんでそんなに引《ひ》っ越《こ》しをするんですか？　仕事がたまって逃《に》げ回っているんですか？　家賃《やちん》がはらえなくて夜逃《よに》げしたとか？」

北馬《ほくば》は「そう思われるのも無理はないな」と思ったが、北斎《ほくさい》先生の名誉《めいよ》のため、弟子《でし》として一応弁護《いちおうべんご》しておくことにした。

「そんな理由じゃないよ。北斎《ほくさい》先生がしょっちゅう引《ひ》っ越《こ》しするのは——むしろ、絵を描《か》くことに熱心すぎるのが原因《げんいん》なんだ。」


北斎《ほくさい》先生がひんぱんに引《ひ》っ越《こ》しをくり返す理由とは何だろうか。常識《じょうしき》を捨《す》てて想像《そうぞう》してほしい。

解説《かいせつ》

北斎《ほくさい》は、絵を描《か》くことだけに力を注いだ男。料理はせず、買ってきた食べ物のゴミはそこらへんに投げっぱなし。そうじにかまけるヒマはないので、部屋がよごれるたびに引《ひ》っ越《こ》していたのである。89年の生涯《しょうがい》でなんと93回も引《ひ》っ越《こ》しをしたそうだ。当時出回っていた著名人《ちょめいじん》の住所録でも、北斎《ほくさい》の欄《らん》は「住居《じゅうきょ》不明」となっている。ともかく衣食住全般《ぜんぱん》にむとんちゃくだったようだ。米屋や酒屋などが集金に来ると、絵の報酬《ほうしゅう》が入った封筒《ふうとう》を中を確《たし》かめもせず、そのまま投げて渡《わた》していたというエピソードも。

葛飾北斎《かつしかほくさい》は、江戸《えど》時代に花開いた「浮世絵《うきよえ》」界のトップスターである。代表作は、各地からながめた富士山《ふじさん》を描《か》いた『富嶽《ふがく》三十六景』。たたみ１２０畳《じょう》分もの大きな紙の上を駆《か》け回ってだるまの絵を描《か》いたり、米粒《こめつぶ》にスズメを描《か》いたりと、常《つね》に新しい表現《ひょうげん》を探《さが》し求めたアグレッシブな人物だ。北斎《ほくさい》は、ゴッホやドガなどヨーロッパの画家にも影響《えいきょう》を与《あた》えている。日本が誇《ほこ》る世界的アーティストである。

18

大奥《おおおく》の人員整理

危機《きき》→対処《たいしょ》？

徳川家康《とくがわいえやす》が江戸幕府《えどばくふ》を開いてから、100年ほどたったころの話。

265年も続いた江戸《えど》時代は、安定した時代といわれる。確《たし》かに戦《いくさ》のない平和な時代ではあったが、経済的《けいざいてき》には苦労も多かった。第8代将軍《しょうぐん》・徳川吉宗《とくがわよしむね》は、どうすれば幕府《ばくふ》の財政《ざいせい》を立て直せるか、日々《ひび》頭を悩《なや》ませていたのである。

吉宗《よしむね》はさまざまな改革《かいかく》を行った。米の収穫《しゅうかく》を増《ふ》やすために新しく田を開いたり、各地の大名から年貢米《ねんぐまい》を取り立てたり——。

将軍《しょうぐん》自ら着物も食事も質素《しっそ》にし、庶民《しょみん》だけでなく城中の者たちにも節約をすすめている。

しかし、それでも財政《ざいせい》は苦しいままだった。

「収入《しゅうにゅう》を増《ふ》やす工夫もいろいろ手を打った。予算もこれ以上切り詰《つ》めるものは思いつかない。どうしたものかのう。」

ため息をつく吉宗《よしむね》の前で、老中はぐいと顔を上げた。

「こうなったらはっきり申し上げます。江戸《えど》城の財政《ざいせい》を圧迫《あっぱく》している最も大きな理由に、上様もお気づきになっているのではありませんか？」

吉宗《よしむね》は困《こま》った顔になった。

「大奥《おおおく》か……。」

大奥《おおおく》とは、江戸《えど》城内にある「将軍《しょうぐん》以外の男性《だんせい》は立ち入り禁止《きんし》」の場所。そこには女性《じょせい》ばかり数百人が暮《く》らしている。

このころ、将軍《しょうぐん》は後《あと》つぎをたくさん残すために、正式な妻《つま》のほかに、第二の妻《つま》のような存在《そんざい》を持つことがふつうだった。いや、「第二」どころではなく、とほうもない人数の女性《じょせい》が集められていたという。

育ちがよくて美しく、教養がある――そんな女性《じょせい》がたくさん。さらに、その「妻《つま》たち」の身の回りの世話をする女性《じょせい》、その女性《じょせい》たちの手伝いをする女性《じょせい》も……。

そんなこんなで、大奥《おおおく》には500人から1000人ほどの女性《じょせい》がいたという。

それだけの人間が住んでいるから、お金がかかるのは当然だ。

「上様。大奥《おおおく》の女性《じょせい》の数を減《へ》らさなければ、この事態《じたい》は乗り切れません。」

「クビにするということか。」

吉宗《よしむね》はがっくり肩《かた》を落とす。

これまでの常識《じょうしき》では、一度大奥《おおおく》に入れば一生そこで暮《く》らすことができた。「解雇《かいこ》」はあり得《え》なかったのである。

「背《せ》に腹《はら》は変えられないな。」

「いたしかたありません。ということで、じょじょに人数を減《へ》らしていくことにしまして――手始めに50人、辞《や》めさせてください。」

「うむ。わかった。」

そうは言ったものの、これはかなりの難題《なんだい》だ。

（これまでに大奥《おおおく》を辞《や》めさせるなんて前例はないから、クビにされた者は驚《おどろ》くだろうなぁ。）

しかも、大奥《おおおく》は頭がいい女性《じょせい》ぞろいだ。

日本の中心である江戸城《えどじょう》で、将軍《しょうぐん》のそばで暮《く》らしているくらいだから当然だが、気が強い者も多い。

（「はい、わかりました」と、あっさりクビを受け入れてくれるだろうか。50人で束《たば》になって「納得《なっとく》できません」「わたしが辞《や》めさせられる理由はなんですか？」と詰《つ》め寄《よ》られたら負けそうだ！）

吉宗《よしむね》はむずかしい顔で考えこんだ。

（どういう基準《きじゅん》で50人を選ぶべきか。そして、文句《もんく》が出ないようにするには？）

吉宗《よしむね》は考えたあげく、大奥《おおおく》の仕切り役を呼《よ》んでこう申しつけたのである。

「大奥《おおおく》の中で、特に美しい者を50人選んでほしい。」

こうして吉宗《よしむね》は選ばれた50人に「解雇《かいこ》」を言い渡《わた》したのだが——彼女《かのじょ》たちはもめごとを起こすことなく去っていったのである。

吉宗《よしむね》はなぜ「特に美しい者」を選んで辞《や》めさせたのだろうか。

解説《かいせつ》

吉宗《よしむね》が「美人」を選んで辞《や》めさせたのは、大奥《おおおく》を出ても嫁《とつ》ぎ先が見つかりやすいと考えたからである。現代《げんだい》なら「顔だけで女性《じょせい》を評価《ひょうか》するなんて！」と軽べつされそうだが、まあそこは昔の話。

また、吉宗《よしむね》の意図はほかにもあった。クビにする理由が「美人だから」と言われれば、怒《おこ》るに怒《おこ》れず引き下がるだろうと考えたのだ。これは大当たり。こうして吉宗《よしむね》はじょじょに大奥《おおおく》を縮小《しゅくしょう》させていったという。

この「大奥《おおおく》の人員整理」は、吉宗《よしむね》の政治改革《せいじかいかく》「享保《きょうほう》の改革《かいかく》」のひとつ。主な内容《ないよう》は、新田の開発、「上米《あげまい》の制《せい》（領地《りょうち》の広さに応《おう》じて大名から年貢米《ねんぐまい》を取り立てる）」、「足高《たしだか》の制《せい》（家柄《いえがら》にかかわらず、能力《のうりょく》の高い人材を採用《さいよう》するための制度《せいど》）」、庶民《しょみん》の意見を募集《ぼしゅう》する「目安箱」の設置《せっち》などである。

これらの施策《しさく》によって幕府《ばくふ》の収入《しゅうにゅう》は一時的に増《ふ》えたので、「享保《きょうほう》の改革《かいかく》」は成功だったと評価《ひょうか》されている。

19

川ぞいの桜《さくら》の木

理由→なぜ？

ときは江戸《えど》時代。戦乱《せんらん》の時代は終わり、日本各地では安定した社会をつくるための施策《しさく》が進められていた。

この時代、おだやかな生活をはばむ敵《てき》は天災《てんさい》だった。冷害（夏場に気温が上がらないこと）、火山の噴火《ふんか》、虫の大発生などで農作物が育たず、深刻《しんこく》な食糧難《しょくりょうなん》がたびたび起こっている。

大雨による水害も大問題だ。大雨で川が増水《ぞうすい》すると土手はかんたんにくずれてしまい、民家はやすやすとなぎ倒《たお》された。

「土手をくずれにくくする方法はないものか。」

もちろんコンクリートなどない時代のこと。人々《ひとびと》が頭をひねっていると、だれかがこんなことを言い出したのだ。

「川ぞいに柳《やなぎ》の木を植えたらいいんじゃないか。」

柳《やなぎ》の木は、強い根を張《は》る性質《せいしつ》がある。また、根が横に広くのびるので、地面をしっかりと固めるのに有効《ゆうこう》だと考えたわけである。

「というわけで、川ぞいに柳《やなぎ》を植えると土手が強くなるそうなんですよ。わが藩《はん》でもさっそく柳《やなぎ》を植えようと思うのですが……。殿《との》、聞いておられますか？　殿《との》⁉」

家老の忠之助《ちゅうのすけ》は大きな声を出した。

「聞いてるとも。しかしねぇ。わしは……柳《やなぎ》ってのがどうも好きじゃないんだよ。ほれ、柳《やなぎ》の下には幽霊《ゆうれい》が出るとかいうし、なんだか不気味じゃないか。川ぞいに植えるなら桜《さくら》の木にしたらいい。桜《さくら》の方がみんなも喜《よろこ》ぶぞ。そろそろ花見の季節だ。大にぎわいになるだろうし。」

忠之助《ちゅうのすけ》はため息をついた。

「殿《との》。木ならなんでもいいわけじゃありません。わたしが申し上げているのは川ぞいの土手をじょうぶにする対策《たいさく》の話です！」

殿様《とのさま》はおっとりした笑《え》みを浮《う》かべた。

「うむ。おまえの言うことはわかっている。その上でだ……柳《やなぎ》ではなくて桜《さくら》を植えよ、と言っているんだ。」

忠之助《ちゅうのすけ》はしぶしぶ川ぞいに桜《さくら》を植える手配をした。

殿様《とのさま》の提案《ていあん》に深い意味があったことに彼《かれ》が気づくのは、少々《しょうしょう》あとのことである。


柳《やなぎ》の方が桜《さくら》よりも根が強く張《は》るのは事実。だが、桜《さくら》を植えた結果「地盤《じばん》が強くなる」効果《こうか》が得《え》られたという。それはなぜだろうか。

解説《かいせつ》

桜《さくら》がきれいな花を咲《さ》かせると、川べりにはたくさんの人たちがお花見にやって来るように。そのおかげで土手の土が踏《ふ》み固められ、地盤《じばん》がじょうぶになったのである。毎年、春になれば自然に人が集まって来るから、手間もかからないというわけ。

川ぞいの桜並木《さくらなみき》が全国各地で見られるのには、こんな理由があったのだ。

ただし、水や湿気《しっけ》に強い点では柳《やなぎ》の方が上。桜《さくら》は水分が多すぎる環境《かんきょう》は苦手なので、お花見のときにあまった飲み物を土にまいたりしないこと。また、桜《さくら》の根の近くに座《すわ》るのはNG《エヌジー》。強く踏《ふ》み固められると根が呼吸《こきゅう》できなくなってしまうためだ。

お花見が始まったのは平安時代のころ、一般庶民《いっぱんしょみん》の間に広まったのは江戸《えど》時代といわれる。しかし、行事として定着する以前も、桜《さくら》の木にお供《そな》え物をして豊作《ほうさく》を祈《いの》る習慣《しゅうかん》があったそう。昔から「人が集まる木」だったのはまちがいないようだ。

20

一世一代のおわび

成功↓なぜ？

1590年、ときは戦国時代。

伊達政宗《だてまさむね》がわずか17歳《さい》で家をつぎ、米沢城《よねざわじょう》（現在《げんざい》の山形県《やまがたけん》）城主となったのは6年前のこと。政宗《まさむね》は今や東北一の大名として名をとどろかせていた。

しかし、ある判断《はんだん》ミスから、彼《かれ》はたいへんな苦境《くきょう》に立たされてしまったのである。

全国統一《とういつ》をめぐって、各地の大名たちが争ったこのころ——頭角を現《あらわ》したのは織《お》田信長《だのぶなが》の後継者《こうけいしゃ》とされた豊臣秀吉《とよとみひでよし》だ。秀吉《ひでよし》はライバルを次々《つぎつぎ》に討《う》ち破《やぶ》り、小田原《おだわら》の北条氏《ほうじょうし》を滅《ほろ》ぼして天下統一《とういつ》をなしとげたのである。

じつはこのとき、政宗《まさむね》は秀吉《ひでよし》から「小田原《おだわら》の戦いに参戦せよ」と命じられていた。だが、伊達《だて》家は政宗《まさむね》の父の時代から、北条《ほうじょう》氏とは同盟《どうめい》関係にあったのだ。

(どうしよう。どっちにも義理《ぎり》があるからなぁ。)

政宗《まさむね》は非常《ひじょう》に迷《まよ》った。半年かけて迷《まよ》って「秀吉《ひでよし》につこう」と決めたときには、すでに秀吉《ひでよし》の勝利は明白になっていた。盛大《せいだい》に出おくれたのである。

「殿《との》、困《こま》ったことになりましたな。秀吉殿《ひでよしどの》はカンカンですよ。処刑《しょけい》はまぬがれないかもしれません。」

家臣の言葉に、政宗《まさむね》は身ぶるいした。

「切腹《せっぷく》か。あるいは、はりつけにされてヤリで突《つ》きまくられるか……。」

家臣があとを続ける。

「それとも首切りか……あれ、ノコギリで切るんですからね。痛《いた》そうですよねぇ。」

政宗《まさむね》はいきり立った。

「バカ者！　他人ごとみたいに言うな。わたしが処刑《しょけい》されたらおまえらだってどうなるかわかったもんじゃないんだぞ。」

「それは承知《しょうち》しております。殿《との》、ここは心からおわびをして、命ばかりはお助けくださるようお願いするしかないのでは？」

政宗《まさむね》は舌打《したう》ちをして家臣を見やる。

「おまえは考えが浅いな。命ごいなんかで怒《いか》りまくってる相手が情《なさ》けをかけるものか。人の心を動かそうと思ったら、強力な演出《えんしゅつ》が必要だ。白装束《しろしょうぞく》を用意しろ。」

家臣は驚《おどろ》きの目で政宗《まさむね》を見つめた。

「切腹《せっぷく》なさるご覚悟《かくご》で⁉」

白装束《しろしょうぞく》とは、武士《ぶし》が死ぬときにまとう着物。切腹《せっぷく》をするときに着るものだ。

「そんなわけあるか！」

政宗《まさむね》の作戦は大当たりだった。おわびをするために現《あらわ》れた政宗《まさむね》が白装束《しろしょうぞく》を着ていたので、秀吉《ひでよし》は驚《おどろ》いたのである。

「政宗殿《まさむねどの》。そのかっこうは……⁉」

政宗《まさむね》は、りんとした面持《おもも》ちで口を開く。

「このたびのわたくしの不手際《ふてぎわ》を心からおわび申し上げます。」

(政宗《まさむね》は死ぬ覚悟《かくご》で来たのか。いい度胸《どきょう》だ。殺《ころ》すには惜《お》しい男かもしれん。)

秀吉《ひでよし》は、政宗《まさむね》の態度《たいど》にすっかり感心してしまったのだ。

「いや、そなたの気持ちは十分にわかった。今回のことは水に流そう。」


こうして政宗《まさむね》は、まんまと秀吉《ひでよし》に許《ゆる》された。

だというのに、政宗《まさむね》はほどなく、再《ふたた》び秀吉《ひでよし》を怒《おこ》らせたのである。

「殿《との》。秀吉殿《ひでよしどの》から『すぐに来い』と書状《しょじょう》が来ています！　今度という今度はまずいですよ！」

家臣はあわてふためいていた。政宗《まさむね》が民衆《みんしゅう》の反乱《はんらん》を裏《うら》で仕組んだのがバレたのだ。前の失敗より罪《つみ》が重いのはまちがいない。

「まぁ、あわてるな。えぇと……まず、白装束《しろしょうぞく》を用意してくれ。」

家臣は目をむいた。

「殿《との》、マジメに考えてください。前と同じ手で許《ゆる》してもらえるわけがないでしょう!?」

政宗《まさむね》は腕組《うでぐ》みをしてうなずく。

「そんなことはわかってる。次は、大きな木材を用意してくれ。わたしの背《せ》たけよりでかいヤツをな。」

政宗《まさむね》は今度はどんなおわびをするつもりなのだろうか。今回も白装束《しろしょうぞく》を着用するようだが、なぜ木材が必要だったのか推《すい》理《り》してほしい。

解《かい》説《せつ》

政宗《まさむね》は、木材で十字架《か》を作らせたのだ。白装束《しろしょうぞく》を着こむと、自ら十字架《じゅうじか》をかついで秀吉《ひでよし》の元を訪《たず》ねた。十字架《じゅうじか》には金箔《きんぱく》をはってあり、たくさんの家臣を引き連れていて、まるでパレードのようだったという。前回は、白装束《しろしょうぞく》で「切腹《せっぷく》も辞さない」覚悟《かくご》を表現《ひょうげん》してみせたので、今回は「はりつけの刑《けい》も辞さない」スタイルで、覚悟《かくご》を見せつけたのだ。そして「反乱《はんらん》なんてまったく知らない、わたしは関係ない」と言い張《は》った結果——なんとまたまた許《ゆる》されてしまったからすごい。

豊臣秀吉《とよとみひでよし》が病死したのち、伊達政宗《だてまさむね》は徳川家康《とくがわいえやす》についた。「関ヶ原《せきがはら》の戦い」などで家康《いえやす》が勝利し、江戸幕府《えどばくふ》を開くと、政宗《まさむね》は戦《いくさ》での功績《こうせき》を認《みと》められてさらに出世。仙台藩《せんだいはん》62万石の大名となったのである。

21

求む、勇敢《ゆうかん》なる兵士《へいし》

理由→なぜ？

昔むかしのこと、とある国で。

王が住む城門の前にこんなおふれ書きがはり出された。

「わが国の軍隊をより強くするため『勇敢《ゆうかん》な心を持つ者』を募集《ぼしゅう》する！」

高額《こうがく》な報酬《ほうしゅう》がもらえるとあって、城にはたくさんの者がつめかけた。

採用《さいよう》に当たって、王は大臣にこんなふうに話していた。

「よいか。剣術《けんじゅつ》がうまいこと、体ががんじょうで腕《うで》っぷしが強いことはもちろんだが、それ以上に重視《じゅうし》したいのは勇敢《ゆうかん》さだ。敵《てき》は人間ばかりではない。戦いの中では悪天候もあるだろう。危険《きけん》な岩場や、猛獣《もうじゅう》が出そうなジャングルを渡《わた》ることもある。どんな状況《じょうきょう》でも恐《おそ》れず前に進む勇気を持った者をリーダーにしたいのだ。」

王は、古くから伝わる戦術書《せんじゅつしょ》を読み、この結論《けつろん》にいたったようだった。


志願者《しがんしゃ》たちは、王や大臣たちの前で自分がいかに強く勇気があるかを語った。

そんな中で、王が目をつけたのはダモンという男である。

「小さいころから、はるかに体が大きい年上の相手にも向かっていく方でしたね。何かをこわいと思ったことがないんです。断崖絶壁《だんがいぜっぺき》でも足がすくむことはありません。生まれつき挑戦《ちょうせん》が好きなんです。急流の川を泳ごうとしておぼれかけたり、トラに向かっていって大ケガをしたこともあります。ほら、見てください。この背中《せなか》のキズが証拠《しょうこ》です。」

ダモンが語る武勇伝《ぶゆうでん》の数々《かずかず》に、王は目を細めた。

念のため、彼《かれ》を知る人々《ひとびと》に聞き回ってみても、ダモンの言うことにウソはないとわかった。

「大臣。ダモンのような鋼《はがね》の精神《せいしん》を持つ男こそ、ワシがほしいと思っていた人材だ。これで隊長は決まりだな。」

王はうれしそうに言った。

しかし、大臣は強い口調で反対したのである。

「いかに王のお言葉でも、こればかりは反対です。ダモンのような心を持つ男をやとったら――我《わ》が軍は破滅《はめつ》です！」

大臣はどのような理由で反対したのだろうか。

解説《かいせつ》

ダモンは何かをこわいと思ったことがない、恐怖心《きょうふしん》のない人間だ。「勇敢《ゆうかん》」かもしれないが、それは大きな欠点だと大臣は考えたのだ。命がおびやかされるような状況《じょうきょう》のとき、恐怖《きょうふ》を覚えないのは非常《ひじょう》に危険《きけん》。むこうみずな行動をとる者がいれば、仲間も危険《きけん》にさらされる。

現代《げんだい》の科学では、恐怖《きょうふ》は脳《のう》の扁桃体《へんとうたい》という部分で感じることがわかっている。とても珍《めずら》しい例だが、この部分が生まれつき欠損《けっそん》している病気の人は恐怖《きょうふ》を感じることがないそうだ。どうやらダモンはこの病気の持ち主だったらしい。急流や猛獣《もうじゅう》を前にしても、警戒《けいかい》することなく、冒険心《ぼうけんしん》や好奇心《こうきしん》だけで向かっていってしまう。それまでに命を落とさずにすんだのはたまたま運がよかっただけだろう。人は恐怖心《きょうふしん》があるからこそ身を守れる。痛《いた》みを感じる「痛覚《つうかく》」があるおかげで、ケガをしないよう注意したり病気に気づくことができるように……。

勇敢《ゆうかん》な人が強く、臆病《おくびょう》な人は弱いとはいえないのである。

22

さかさま

失敗↓なぜ？

H《エイチ》の茶会に招《まね》かれたワシは、思わず笑いをかみ殺《ころ》した。

いつかH《エイチ》には恥《はじ》をかかせてやろうと思っていたんだ。その絶好《ぜっこう》のチャンスがやってきた。

H《エイチ》はムカつくことこの上ない。先祖《せんぞ》は平安時代に貴族《きぞく》だったとか、家柄《いえがら》を鼻にかけているし。茶会を開いては、先祖代々《せんぞだいだい》伝わる茶器だのつぼだの、名匠《めいしょう》が手がけた掛《か》け軸《じく》だの、あれこれ見せびらかすのにはうんざりする。まわりのやつらがこぞってほめそやすのもな。

こいつにはうらみがある。ワシが大金を出して買った、織田信長《おだのぶなが》が愛用したという器《うつわ》を披露《ひろう》したら「よくできていますがレプリカ（似《に》せて作ったもの）ではないでしょうか」とケチをつけやがったんだ。そんなわけはないと思って、骨董品《こっとうひん》を鑑定《かんてい》するテレビ番組に持ちこんだら、なんと「ニセモノ」と判定《はんてい》された。全国的に恥《はじ》をさらしてしまったんだ。くそ〜〜〜〜っ！


ワシは、H《エイチ》が特注したというH《エイチ》家の家紋《かもん》入りの茶碗《ちゃわん》をじっくりながめた。

ふははは、バカめ。やっちまったな。

今日の茶会は、床《とこ》の間《ま》のリフォーム完成記念のお披露目《ひろめ》として開かれた。なんでも「先祖《せんぞ》が使っていた家紋《かもん》入りの柱」が発見されたとかで、それをこの床《とこ》の間の柱にすえつけたのだ。

H《エイチ》のヤツはもちろん……ここにいるだれも致命的《ちめいてき》なミスに気づいてないようだ。

あの柱は、家紋《かもん》がさかさになっている。物を知らない大工が上下をまちがえたんだろう。ざまあみろ。こんなみっともないことがあるか！

茶碗《ちゃわん》の家紋《かもん》の方が「正位置」なのはまちがいない。念のためトイレに立ったときにスマホで検索《けんさく》して調べたからな。

ワシは、ころあいを見計らってこれを指摘《してき》してやったんだ。

「おや、おかしいな。あの柱……家紋《かもん》がさかさになっていますよ！」

たしかに家紋《かもん》はさかさまだった。しかし、H《エイチ》のへこんだ顔を見るどころか――ワシが赤っ恥《ぱじ》をかくことになるとはなぁ。くやしい～～～～っ！


床《とこ》の間の柱は、家紋《かもん》の向きがさかさまで、上下逆《ぎゃく》になっていた。しかし、恥《はじ》をかいたのはこれを指摘《してき》した主人公の方だった。なぜだろうか。

解説《かいせつ》

柱の家紋《かもん》の向きがさかさまで、上下逆《ぎゃく》になっていたのは「わざと」だったのである。これは日本の伝統建築《でんとうけんちく》にときおり見られる「逆柱《さかばしら》」という手法。「建物は完成した瞬間《しゅんかん》から崩壊《ほうかい》が始まる」という言い伝えがあるので、わざと柱を反対にすることで「未完成」の状態《じょうたい》にし、災《わざわ》いを避《さ》ける意図があるのだ。日光東照宮《にっこうとうしょうぐう》（栃木県《とちぎけん》）の陽明門《ようめいもん》にも逆柱《さかばしら》がみられる。また、姫路城《ひめじじょう》（兵庫県《ひょうごけん》）でも、家紋《かもん》入りの屋根がわらがさかさまになっているものがあるという。物がさかさまになっているのは「縁《えん》起《ぎ》が悪い」という考え方もあるが、H《エイチ》氏は魔《ま》よけとしての逆柱《さかばしら》の意味を知っていて、さかさまにするように指示《しじ》をしたのである。

H《エイチ》氏が解説《かいせつ》すると、逆柱《さかばしら》を知っていた人は当然という顔でうなずき、知らなかった人は感心し——えらそうにケチをつけた主人公は大恥《おおはじ》をかいたのである。

23

決死のダイビング

選択《せんたく》→結果？

オレは残りがほとんどなくなった燃料《ねんりょう》メーターを信じられない気持ちで見つめていた。燃料《ねんりょう》は十分に入れてきたはずだが……どうやらこのヘリコプターは燃料《ねんりょう》もれを起こしているらしい。

「オットー、何がどうなってんだ！　おまえ、どうしてもっとちゃんとこのヘリの状態《じょうたい》を調べておかなかったんだ！　墜落死《ついらくし》なんてイヤだ！」

オレは操縦席《そうじゅうせき》のオットーに悪態《あくたい》をつきながら、無線機のヘッドホンを耳に押《お》し当てた。ヘッドホンの向こうからは、組織《そしき》の世話役の声がきれぎれに聞こえてくる。

「落ち着いてください。パラシュートが積んでありますから。」

「パラシュートだとぉ⁉　そんなの使ったことないぞ！　だいじょうぶなのか？」

下は砂漠《さばく》で、建物や民家がないのが不幸中の幸いだ。

オレは備品《びひん》入れ箱からパラシュートらしきものを見つけ出した。

もう時間がない。こんな布切《ぬのき》れに命を預《あず》けてヘリコプターから飛び出すと思っただけで貧血《ひんけつ》を起こしそうだが……飛ばなきゃヘリもろとも墜落《ついらく》するんだからな！

すると、そのとき。

ヘッドホンの向こうから重苦しい雰囲気《ふんいき》が伝わってきた。

「よくないお知らせがあります。」

は？　この状況《じょうきょう》でもっとよくない知らせがあるって？

「そのPA《ピーエー》02号機に積んであるパラシュートは試作段階《だんかい》のため不良品の可能性《かのうせい》があり……。」

そこで無線機の音声はブツッと切れた。

「は？　おい、なんだって⁉　おいったら！」

オレは無線機をバンバンたたいたが、それっきりだ。オットーが青ざめた顔でこっちを見る。

「どうかしたんですか？　そろそろ脱出《だっしゅつ》しないと危険《きけん》です。」

オレは手にした2つのパラシュートを用心深くながめた。

すると……片方《かたほう》は、布《ぬの》の中心に穴《あな》が空いてるのに気づいたんだ。

不良品の可能性《かのうせい》があるとか言ってたな。そういうことか。

穴《あな》に気づかれないようにしながら、そっちをオットーにわたした。

そして、もう一つの穴《あな》の空いてない方のパラシュートを背負《せお》うと、はるか遠くの地面を見下ろしたんだ。

「じゃあ、オレから行くぞ。オットー、幸運を祈《いの》る！」


オットーはそうとは知らずに穴《あな》の空いたパラシュートを着けて、主人公は穴《あな》の空いていないパラシュートで脱出《だっしゅつ》した。2人はどうなっただろうか。

解説《かいせつ》

主人公は、パラシュートに穴《あな》が空いているのを見て「これは不良品だ」と決めつけて、オットーにわたした。だが、実はパラシュートには、布《ぬの》が開いたときの頂点《ちょうてん》に穴《あな》が空いているのがふつうなのだ。てっぺんの穴《あな》からパラシュートの内側の空気が逃《に》げることにより、安定して下降《かこう》できるのである。この穴《あな》を「頂部通気孔《ちょうぶつうきこう》」という。

第二次世界大戦のころにはまだ穴《あな》のないパラシュートが使われていたそうだ。穴《あな》がないと空気はパラシュートのふちから逃《に》げることになるが、逃《に》げ場が一か所ではないので揺《ゆ》れたり傾《かたむ》いたりしやすくなる。なれていないとバランスが取れずに落下することもあるらしい。部下を出しぬこうとした主人公はめちゃくちゃに揺《ゆ》さぶられながら下降《かこう》。地面にぶつかり、ケガをして動けずにいたところをオットーに助けられると「おまえにちゃんとしたパラシュートをゆずった」と恩《おん》を着せたのである。実際《じっさい》は、初心者がパラシュートを使いこなすのは無理で、訓練が必要だ。

24

絶《ぜっ》対《たい》に打たれない方法

成功↓なぜ？

1992（平成4）年8月。

「全国高等学校野球選手権大会《せんしゅけんたいかい》」は、阪神甲子園《はんしんこうしえん》球場（兵庫県《ひょうごけん》）を舞台《ぶたい》にくり広げられる高校球児のあこがれだ。地方予選を勝ち上がったチームが歴史《れきし》ある球場でプレーする姿《すがた》はテレビ中継《ちゅうけい》され、日本中の注目を集める。

この第74回大会でもっとも話題になっていたのは石川県《いしかわけん》代表・S《エス》高校の4番打者、マツイくんである。3年生のマツイくんは高校生ばなれしたバッターとして知られている。並《なみ》はずれたパワーから「ゴジラ」というニックネームがついたほどだ。

ボールを見きわめる目もいい。「ストライク」ゾーンをはずれる、「ボール」になる球には手を出さず、「フォアボール（四球）」を選んで1塁《るい》に進むことも多い。

「春の全国大会では、マツイは3本のホームランを打ったんだよな。今度は何本打つかな？」

それほど野球に興味《きょうみ》がない人も、マツイくんの活躍《かつやく》を期待してこんなふうにしゃべったものである。


1回戦では、マツイくんはスリーベースヒットを打った。S《エス》高校は11－0の圧勝《あっしょう》で、2回戦にコマを進めた。

次の対戦相手であるM《エム》高校のマブチ監督《かんとく》は1回戦を見て、舌《した》を巻《ま》いていた。

「マツイくんは確《たし》かに10年に一人の選手だよ。高校生の中に大人が混《ま》ざってるみたいだ。S《エス》高校はピッチャーもいいし、うちが点を取るのは難《むずか》しいだろう。つまり、相手に大量点を与《あた》えないようにしないと勝ち目はない。」

新聞記者はマブチ監督《かんとく》に質問《しつもん》をした。

「監督《かんとく》、ズバリS《エス》高校に勝つためのカギは？」

「マツイくんに打たれないことです。」

記者は苦笑した。

「では……マツイくんに絶対《ぜったい》打たれない作戦があるんですか？」

監督《かんとく》は「ある」と答えた。

実際《じっさい》、その試合でマツイくんは5回打席に立ったがヒットもホームランも打つことができなかったのである。


「絶対《ぜったい》に打たれない作戦」とはどんなものだったのだろうか。

解《かい》説《せつ》

これは実話をもとにした話。マツイくんは、のちに読売巨人軍《よみうりきょじん》や、アメリカのメジャーリーグで活躍《かつやく》した松井秀喜《まついひでき》さん。マブチ監督《かんとく》は、明徳義塾《めいとくぎじゅく》高校（高知県《こうちけん》）野球部を何度も甲子園《こうしえん》に導《みちび》いた「名将《めいしょう》」として知られる馬淵史郎《まぶちしろう》さんのことだ。

1992（平成4）年8月16日に行われた星稜《せいりょう》高校と明徳義塾《めいとくぎじゅく》高校の試合で、馬淵《まぶち》監督《かんとく》はピッチャーに「松井《まつい》の打席では、4球続けてストライクゾーンからはずれる球を投げろ」と指示《しじ》した。松井《まつい》は「フォアボール」で1塁《るい》に進む。強打者を迎《むか》えたときに打たせないかわりに1塁《るい》に進ませるのは「敬遠《けいえん》」というりっぱな作戦である。大量点のリスクを避《さ》けて、ほかの打者と勝負するだけの話だ。しかし、この試合で松井《まつい》選手は5打席ともすべて「敬遠《けいえん》」され、一度もバットを振《ふ》らせてもらえなかったのだ。全打席敬遠《けいえん》するのは非常《ひじょう》に珍《めずら》しい例。結果は3－2で明徳義塾《めいとくぎじゅく》の勝利。「正々堂々《せいせいどうどう》と勝負しろ」「勝ちさえすればいいのか」などの非難《ひなん》と「勝つための作戦だから問題ない」とかばう意見が入り乱《みだ》れ、世間の論議《ろんぎ》を引き起こした。

25

空前絶《ぜっ》後《ご》の大打者

工夫→成功？

カキーン！

心地《ここち》よい球音に、土手を歩いていたA《エー》氏はグラウンドを見下ろした。野球をしているのは小学生か中学生だろうか。

（そういえばあいつに初めて会ったのはこのグラウンドだったたな。）

プロ野球チーム・読売巨人軍《よみうりきょじんぐん》のコーチであるA《エー》氏は、なつかしい気持ちで空をあおいだ。

「あいつ」とはチームの若手《わかて》選手・Z《ゼット》のことだ。

今から7年ほど前。A《エー》氏はここで中学生のZ《ゼット》を見かけ、アドバイスをしたのだ。

特別にうまい選手とも思わなかった。その少年が高校生になって全国大会で大活躍《だいかつやく》し、読売巨人軍《よみうりきょじんぐん》に入団《にゅうだん》するとは。選手を引退《いんたい》してコーチになったばかりのA《エー》氏がバッティングの指導《しどう》をすることになるとは、不思議なめぐりあわせである。

(なんとかあいつを一人前にしなくてはな。)

A《エー》氏は眉間《みけん》にしわを寄《よ》せ、大きく息をはいた。

Z《ゼット》は将来《しょうらい》有望な選手としてプロ入りを果たした。しかし、入団《にゅうだん》して4年目の今、彼《かれ》は期待に反して活躍《かつやく》をしていない。打席に立つと「三振王《さんしんおう》」「引っこめ！」とヤジが飛ぶことも珍《めずら》しくなかった。

そこで、監督《かんとく》がじきじきにA《エー》氏に頼《たの》んできたのである。

「A《エー》さん。どうかZ《ゼット》を一流のホームランバッターに育ててくれ。Z《ゼット》にはそれだけの素質《そしつ》があるはずなんだ！」

筒《つつ》のようなバットで丸いボールを打ち返すのは難《むずか》しいものだ。バットの真ん中でボールをとらえ、ボールのスピードに負けない力でバットを振《ふ》りぬかなくては遠くに飛ばすことなどできない。

A《エー》氏は土手を下りていき、グラウンドの片《かた》すみに転がっていたバットを無意識《むいしき》に拾いあげていた。

両足を肩《かた》はばくらいの広さに開く。バットをにぎった手は肩《かた》の高さくらいまで上げる。ピッチャーがボールを投げるタイミングに合わせ、バットのグリップ（にぎる部分）を後ろに引くとともに、後ろ側の足の方に体重をかける。前側の足は自然に上がる。

バットを振《ふ》るときはうでだけではなく、腰《こし》の回転を使ってスイングするイメージで。速球を打ち返してスタンドまで運ぶにはうでの力だけでは無理だ。

ブンッ！

A《エー》氏がバットを振《ふ》ると――いつのまにか少年たちが近くに集まっている。

「うわぁ、すごいスイングだなぁ。」

「おじさん、上手《じょうず》だね！」

少年たちに声をかけられて、A《エー》氏はあわててその場を逃《に》げ出したのである。

Z《ゼット》のバッティングフォームを慎重《しんちょう》にチェックした結果、A《エー》氏は彼《かれ》が「打てない理由」を見つけ出した。

「Z《ゼット》くん、きみはボールが来て、バットを振《ふ》るときに手をクルッと回すクセがある。そのせいでバットが後ろに行きすぎて、バットが出るのがおくれてしまうんだ。」

「なるほど、そうだったんですね。」

Z《ゼット》は納得《なっとく》したが、身体《からだ》にしみついたクセはすぐに直せるものではない。

(このクセを手っ取り早く直すにはどうすればいい?)

A《エー》氏は考えこんだ。

「スイングするとき後ろの足に重心をかけたはずみで手が動いてしまうんなら……いっそ、最初からバットを引いてボールを待てばいいのでは?」

ふつうは後ろ側の足に重心をかけ、スイングしながら少し上げた前の足を地面に着く。この「ステップ」をなくしてしまおうというのだ。

「というと……こうなっちゃいますが?」

Z《ゼット》は、A《エー》氏が提案《ていあん》した通りのポーズを作ってみせた。

それは野球の常識《じょうしき》では考えられないおかしなかっこうだったが、A《エー》氏は深々《ふかぶか》とうなずいた。

「よし、そのフォームで練習しよう。足腰《あしこし》の強いきみならできるはずだ！」

初めてZ《ゼット》選手が試合でそのフォームを披露《ひろう》した日、観客たちは困惑《こんわく》したものだ。

「どういうつもりだ？　田んぼのかかしじゃあるまいし……。」

その時点では——やがてZ《ゼット》選手が球界を代表するホームラン打者になるとは、だれも予想できなかったであろう。


A《エー》氏が考え出したバッティングフォームは野球の常識《じょうしき》を裏切《うらぎ》るものだった。いったいどんなものだったのだろうか。

解説《かいせつ》

これはホームランの世界記録（８６８本）を持つ王貞治《おうさだはる》さんと、王《おう》さんを育て上げたコーチ・荒川博《あらかわひろし》さんをモデルとした話。A《エー》氏（＝荒川博《あらかわひろし》）が考え出したのは、ピッチャーがボールをはなす前から前側の足を上げ、後ろ側の足だけで立ってボールが来るのを待つ「一本足打法」だ。「フラミンゴ打法」とも呼《よ》ばれる。しかし、一本足でグラつかずにバットをかまえるのは難《むずか》しい。高校時代にピッチャーをやっていて、人一倍足腰《あしこし》の強い王《おう》さんだからこそうまくいったのだろう。

王《おう》さんは荒川《あらかわ》さんの指導《しどう》のもと、毎日数百回の素振《すぶ》りをしたり、つるした紙を日本刀を振《ふ》りおろして切る特訓などを行った。努力が実り「一本足打法」を取り入れたプロ4年目からホームランを量産。「世界の王《おう》」と呼《よ》ばれる大打者に成長していく。王《おう》さんが、アメリカ人のメジャー・リーガー、ハンク・アーロンさんの記録をぬく７５６号ホームランを打って世界一となったのは１９７７（昭和52）年のこと。王《おう》さんのホームラン世界記録８６８本は今も破《やぶ》られていない。

26 消えたキノコの謎《なぞ》

失敗↓なぜ？

「2人とも少しはよくなったか？　きっと飲みすぎたんだろうな」

ヨシカズは、テントの中でぐったりとのびているミユとアサトのためにカップに水をついでやりながら言った。

野外でバーベキューを楽しむ休日がとんだことになった。

きのうの夕方からバーベキューを始めて――1時間ほどたったころだろうか。同じくらいのタイミングでミユとアサトが「気持ちが悪い」と言い出し、もどしてしまったのだ。頭も痛《いた》いし、ふつか酔《よ》いのような症状《しょうじょう》だという。

「うん、まあまあ落ち着いたよ。治ってよかった。」

ミユはまぶしそうに朝日から目をそむけながら、水をゴクゴクと飲みほす。

「ビールを飲むペースが早すぎたんじゃないか？」

「絶対《ぜったい》ちがう。むしろ、いつもよりペースはおそい方だったよ！」

「あたしだって。そんなに飲んでなかったし。」

たしかに――ヨシカズは2人とつきあいが長いが、彼《かれ》らが酒を飲んでこんなふうに具合が悪くなったのを見たことがない。アルコールを受けつけない体質《たいしつ》のヨシカズとは反対に、2人はめちゃくちゃお酒に強いのだ。

「とすると、原因《げんいん》はなんだ？　食中毒《しょくちゅうどく》か？」

「思い当たるのってあのキノコくらいしかないんだけど。」

ミユが言った。ちょうどヨシカズもそれを思い浮《う》かべたところだった。

ヨシカズが「あ、たしかこれ、食べられるヤツ」と言いながら採《と》ってきた小さな白いキノコ。みんなで「まさか毒《どく》キノコじゃないよね？」なんて軽口をたたきながら、ベーコンとレタスといっしょにいためて食べたのだ。

「きっとアレのせいだ。あーあ、食べるんじゃなかった！」

アサトはまだだるそうに、ごろごろしている。

「でもさ……キノコのせいじゃなくない？　だってアレ、ヨシカズだってめっちゃ食べてたのになんともないじゃん。」

「だよなぁ。」

ヨシカズもそれが疑問《ぎもん》だった。胃《い》のあたりをさすってみたが、具合が悪くなりそうな気配はまるでない。

「うーん、やっぱりただの悪酔《わるよ》いじゃないの？」

しかし、2人は声をそろえて「絶対《ぜったい》ちがうって！」と言い張《は》るのである。

アサトはまゆをひそめた。

「冷静に考えよう。全員同じものを食べたのに、ヨシカズだけピンピンしてる。となると、原因《げんいん》はビールしかない。もしかして……ヨシカズ、ビールに何か入れたんじゃないだろうな？」

ヨシカズは憤慨《ふんがい》した。

「何言ってるんだよ！　缶《かん》ビールはおまえが買ってきたヤツだし、自分で開けて飲んだだろ？　オレが何か入れるなんてできるわけないじゃないか！」

「そうだよ、アサト。ヨシカズを疑《うたが》うなんてひどいよ！」

ミユが言うと、アサトは「ミユ、おまえはヨシカズの味方かよ！」といきり立ち、ヨシカズの胸《むな》ぐらをつかんだ。


「こら！　あんたたち、ケンカはおやめなさい！」

気がつくと、テントのそばに見知らぬおばあさんが立っていた。

一喝《いっかつ》されて、ぼうぜんとしている3人におばあさんは言った。

「悪いけど、会話が聞こえちゃったから口出しさせてもらうよ。あたしはこの辺のキノコにはくわしいんだ。あんたたちが食べたキノコってのを見せてごらん。」

「すぐそこですよ。」

ヨシカズは指をさし、みんなを連れていったが——そこに生えていたはずのキノコがない。

「あれ？　きのう採《と》ったときはまだあったのにな。だれか、ほかの人が採《と》ったのかも？」

「でも、ここに人なんて来なかったぜ。」

再《ふた》び言い合いが始まりそうになったとき、おばあさんはニコニコして口を開いたのだ。

「あんたたちが食べたのは『消えるキノコ』だったんだ。これで全部わかったよ。」


おばあさんは、ヨシカズたちの会話と「キノコが消えた」ことからキノコを特定したようだ。そのキノコには驚《おどろ》くべき性質《せいしつ》がかくされていた。どんなキノコだったのか推理《すいり》してほしい。

解説《かいせつ》

おばあさんは、ヨシカズたちが食べたキノコについて解説《かいせつ》してくれた。キノコの名は「ヒトヨタケ」。成長してからほんの半日ほどで自ら分解酵素《ぶんかいこうそ》を出し、一晩《ばん》で溶《と》けてしまうことから「ヒトヨタケ」の名がついた。このヒトヨタケには、アルコールを分解《ぶんかい》する酵素《こうそ》の働きをじゃまする成分がある。お酒といっしょに体に入れると、激《はげ》しい頭痛《ずつう》や吐《は》き気などひどい悪酔《わるよ》いの症状《しょうじょう》を引き起こすのだ。だから、お酒を飲んでいないヨシカズだけは中毒症状《ちゅうどくしょうじょう》を起こさなかったのである。ヒトヨタケを食べてしまったら、数日間はお酒は飲まない方がいいそうだ。

ちなみに、ヨシカズはヒトヨタケと名前もよく似《に》た「ササクレヒトヨタケ」と覚えちがいをしていた。ササクレヒトヨタケの方はお酒といっしょに食べても問題ない。とにかく野生のキノコは見分けが難《むずか》しい。キノコだけでなく野草や木の実など、かんちがいで食中毒事故《しょくちゅうどくじこ》を起こすケースは多いので、安易《あんい》に食べないこと。そして、もし中毒症状《ちゅうどくしょうじょう》が出たら、治ったと思っても必ず病院に行くことだ。

27

初めての天ぷら

危機《きき》→逆転《ぎゃくてん》？

「なんか、くさいよね。換気扇《かんきせん》かけよっか。」

ソノカはエビをいじっている手元から顔を上げ――目をみはった。

天ぷら鍋《なべ》から10センチほどの炎《ほのお》が上がっている。

「アキ、ヤバいよ！　火が……！」

2人はこの春ひとり暮《ぐ》らしを始めたばかりの大学生。アキの家で、初めての天ぷら作りに挑戦《ちょうせん》していたところだ。
最初にピーマンを揚《あ》げて――ちょっとこがしてしまったし、まだピーマンだけなのにやたらたくさんできすぎて大笑いして。

次にエビを揚《あ》げるつもりが、カラも背《せ》わたもとっていなかった。ちょっとの間だからと、火を消さなかったのがまずかった。しかも2人は料理に不慣《ふな》れだったので、エビの準備《じゅんび》に思いのほか手間取ってしまったのだ。

たしかにいやなにおいがしていたが、2人は「揚《あ》げ物をしてるんだから当たり前か」と思っていたのだ。


「なんでなんで？　何が燃《も》えてんの？　今、何も揚《あ》げてないのに。」

「アキ、そんなこと言ってる場合じゃないよ。消火器ある？」

「え、ないよ。」

そう言っている間にも炎《ほのお》はさっきより大きくなっている。

「早く消さないと。」

アキはシンクの洗《あら》いおけに手をのばした。ちょうど水がいっぱいに入っている。

（このくらいの火なら一発で消せるんじゃない？）

しかし――アキが洗《あら》いおけを持ち上げようとするのを、ソノカは全力で止めたのだ。

アキは驚《おどろ》きの目でソノカを見つめた。

「何すんの⁉　そこ、どいてよ！」

（ソノカったらパニックで判断力《はんだんりょく》を失ってるの……⁉）

ソノカはなぜ、水で消火しようとするアキを止めたのだろうか。

解説《かいせつ》

天ぷらの揚《あ》げ油や石油ストーブなど油による火事の場合は、絶対《ぜったい》に水をかけてはいけないからだ。水は油と混《ま》ざらず、油より重い。だから、高温の油が入った鍋《なべ》に水を入れると水は底にしずみ、一瞬《いっしゅん》で沸騰《ふっとう》して気体となって油をはじき飛ばす。アキが水を入れていたら炎《ほのお》はさらに大きく燃《も》え上がっていた。油が飛び散って大ヤケドをした可能性《かのうせい》も高い。ソノカが水にぬらしてかたくしぼった大判《おおばん》のタオルをそっと鍋《なべ》にかけると、空気がしゃ断《だん》され、無事に鎮火《ちんか》できたのである。この対処法《たいしょほう》は正解《かい》だが、ヤケドしたり鍋《なべ》をひっくり返さないよう注意が必要。炎《ほのお》が小さければ、フタをするだけで鎮火《ちんか》できることもある。消火器があれば、油がはねかえらない距離《きょり》をとって、油の表面をおおうように吹《ふ》きつける。油はある温度以上になると自然発火する。この場合は揚《あ》げカスが入っていたせいで、より発火が早かったようだ。最近のコンロは、鍋底《なべぞこ》が異常《いじょう》な高温になると火を消したり火力を調整する機能《きのう》がついている。とはいえ、コンロに火をつけたらそこからはなれないのが鉄則《てっそく》だ。

28

きらわれ者のあの虫

有益《ゆうえき》↓なぜ？

かべを何かがスッと横切ったのが見えて、オレは思わず声を上げる。

「あ、ゴキブリ！」

「うぇぇええ〜！　オレ、ゴキブリだけはダメなんだよ〜！」

タカシは情《なさ》けない声を出して、オレの後ろにかくれる。

オレは学校で配られたばかりの「6年生の漢字ドリル」を丸めてたたいたが、ゴキブリは本棚《ほんだな》のすきまに逃《に》げこんでしまった。

「はぁ……ゴキブリってなんかこわいよな。カブトムシはこわくないのになんでゴキブリはこわいんだろう？」

「あの動きの速さ？　バイキンをまき散らすかな。ゴキブリってなんでも食べるだろ？　生ゴミはもちろん、動物の死がいでも食べるっていうし。」

「ゴキブリ最強説ってあるよな。ゴキブリって3億年以上昔から地球にいるんだろ？　絶滅《ぜつめつ》しなかったなんてすごい生命力だよな。なんでも食べられるから生きのびられたのか？」

「っていうか、どんなものを食べても病気にならないことが大きいんじゃない？」

「なるほどなぁ。その体質《たいしつ》はうらやましい。オレなんかインフルエンザとかノロウイルスとか感染症《かんせんしょう》にかかりやすくてさ。免疫力《めんえきりょく》が弱いって言われるんだ。」

「ゴキブリのつめのあかでもせんじて飲んだら体が強くなるかも？」

「げげっ、気持ち悪いこと言うなよ。思わず想像《そうぞう》しちゃったじゃねぇか！」

さっきゴキブリをたたいたドリルをふり上げると、タカシは「やめろ、バイキンがうつる！」と身をかわす。

それから――タカシはちょっとマジメな顔になって言ったんだ。

「でもさ、ゴキブリはバイキンだらけのところにいて、バイキンをまき散らしてるだろ。なのに自分は病気にならないってことは、バイキンをはじくバリヤーみたいなのがあるのかもしれないよな。もし、それを人間が持てたら、医学界の大発明になると思わない？」

「ゴキブリはゴキブリ。人間は人間だし。そんな研究する人、さすがにいないだろ？」

ところが驚《おどろ》いたことに、タカシの考えはかなりいいセンいってたんだ。

あとで先生に聞いたんだけど——ゴキブリの体の中にある成分から人間の健康に役立つものが発見されたんだって。タカシのヤツ、科学者を目指したらいいかもな。

ゴキブリの体内にある成分から人間の健康に役立つものが発見された。それはどんな性質《せいしつ》のものか、どのように役立つのか推理《すいり》してほしい。

解説《かいせつ》

ゴキブリの脳《のう》と神経組織《しんけいそしき》の中には、危険《きけん》な細菌《さいきん》を殺《ころ》す天然の「抗生物質《こうせいぶっしつ》」があることがイギリスの研究チームによって発見されている。進化する間に、不衛生《ふえいせい》な環《かん》境《きょう》の中でいろいろな細菌《さいきん》から身を守れるようになったと考えられている。

ゴキブリの作り出す抗生物質《こうせいぶっしつ》は、人間にとって危険《きけん》な細菌《さいきん》を死滅《しめつ》させる有効性《ゆうこうせい》があり、これを使った治療薬《ちりょうやく》の開発が進められているという。研究のリーダーであるイギリス人のサイモン・リーさんは、「世の中の研究者がだれも調べていないようなところに、何か有益《ゆうえき》な成分があるかもしれない」と考えて、ゴキブリなど昆虫《こんちゅう》の脳《のう》の研究に着手したそう。どの分野でも、まだだれも挑戦《ちょうせん》していないことがあるのだと実感するエピソードである。

ゴキブリの生命力の秘密《ひみつ》はほかにもある。ゴキブリの体内にはオシッコを栄養に変える細菌《さいきん》がいるのだ。栄養にリサイクルできなかったほんのわずかなオシッコだけを出すので、体内の水分もなかなか減《へ》らない。じつによくできた体なのだ。

29

ミミズのサバイバル

危《き》機《き》→なぜ？

「は〜、今日はいちだんと暑いなぁ。」

オレはマンガをほうり出してエアコンのリモコンに手をのばした。さっきから設《せっ》定《てい》温度を下げても、涼《すず》しくなってない気がする。室温を「下げる」ボタンを連打するが……。

タカシはすっと立ち上がって、エアコンの吹《ふ》き出し口にふれる。

「ねえ、風が出てないよ。」

「うわ、最悪。ついにこわれたか！」

オレの部屋のエアコンは完全にダメになったみたいだ。

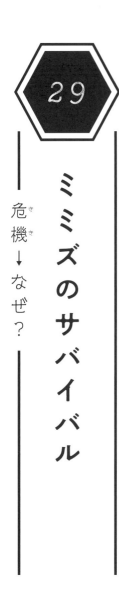

ママが「じゃあ、リビングで勉強しなさいよ。テーブル使っていいから」って言ったけど――オレは「いいよ、図書館に行ってくる」と返事した。ママには「タカシといっしょに夏休みの宿題をやる」って言ってあったけど、ホントはマンガを読んでただけだしな。


外はカッとまぶしい太陽が照りつけていて、一瞬《いっしゅん》で汗《あせ》がふき出る。

「とりあえず、コンビニでアイス食おうぜ。」

「だな。それか、『あたり屋』でかき氷ってのもよくない？」

ふと、オレは足を止めた。

アスファルトの上を、ミミズがはっているのを見つけたからだ。

ミミズは、幅《はば》が3メートルほどの道を横切ろうと進んでいく。

人間なら数歩で渡《わた》れる距離《きょり》だけど、こいつは渡《わた》りきるまでにどれくらい時間がかかるんだろう。渡《わた》りきった先には、雑草《ざっそう》がわんさか生えてるしげみがある。土の地面があるから、そこにもぐりこめる。だけど、渡《わた》りきれるのか？　とちゅうでひからびちゃうんじゃないか？

「こいつ、どうして住み心地《ごこち》のいい土の中から出てきて、無茶な冒険《ぼうけん》をしようとするのかな？　命をかけて新天地に行こうと思ってるんだろうな。」

オレはなんだかしんみりした気持ちになったんだけど。

タカシはたんたんと言ったんだ。

「ミミズはそんなりっぱな気持ちで道を渡《わた》ってるわけじゃないよ。サバイバルしようとしてるのは確《たし》かだと思うけど――でも、たぶん今ごろ後悔《こうかい》してるな。」


ミミズはなぜ、暑い日にわざわざ土の中から出てくるのだろうか。

解《かい》説《せつ》

とても暑い日は、土の中も温度が高くなる。だから、すずしい場所を求めて移動《いどう》するために外に出てくるのだ。ミミズには目がない。光のある方向を感知することはできるが、どこがアスファルトでどこが土かはわからない。カンカンに熱くなったアスファルトの上を移動《いどう》するミミズは、目的を持っていたわけではない。不運にもアスファルトの方に進んでしまっただけなのだ。主人公は、タカシにそう教わり、ミミズを冷たい土がある日かげに連れていってあげたのである。

では、ミミズを雨の日によく見かけるのはなぜなのか。「ミミズは全身の皮膚《ひふ》で皮膚呼吸《ふこきゅう》をして酸素《さんそ》を取りこんでいるので、地中が水びたしになると呼吸《こきゅう》ができなくなって地上に出てくる」という説が一般的《いっぱんてき》だが、最新の研究ではそうとはいいきれないらしい。ミミズの生態《せいたい》はまだ謎《なぞ》が多いのだ。

30

裏道《うらみち》人生

転身→なぜ？

1800年代初頭、フランスはパリにて。

「いらっしゃい。何にしましょう？」

ヴィドックは、乾物屋《かんぶつや》の店先で乾燥豆《かんそうまめ》をながめていたご婦人《ふじん》に愛想よく声をかけた。だが、彼女《かのじょ》はプイと顔を横に向けると無言で立ち去ってしまう。

こんなことがあると、ヴィドックの胸《むね》には黒いモヤのような不安が広がる。

彼女《かのじょ》はただ気に入った商品がなかっただけかもしれない。しかし、そうではなく、ヴィドックの前科を知っていて、犯罪者《はんざいしゃ》の顔を見てやろうとひやかしに来たのかもしれない。あるいは偵察《ていさつ》しに来た可能性《かのうせい》もある——。

(悪いことからは足を洗《あら》って落ち着いた生活をしたいと思ったが、なかなかきびしいもんだなぁ。)

ヴィドックはため息をついた。

30代なかばにして「まじめになろう」と決意したヴィドックは、これまでかなり後ろ暗い人生を送ってきた。

最初に事件《じけん》を起こして牢獄《ろうごく》に入れられたのは20歳《さい》のとき。

その獄中《ごくちゅう》で親しくなった農民に同情《どうじょう》し、彼《かれ》が釈放《しゃくほう》されるようにニセの書類を作ったのだが――これがバレると、ヴィドックは懲役《ちょうえき》8年の刑《けい》を言い渡《わた》される。

(冗談《じょうだん》じゃねぇ。8年もこんなところにいられるか!)

ヴィドックはとっとと脱獄《だつごく》することにした。ヤスリを見つけてきて足かせをつないだ鎖《くさり》を切り、変装《へんそう》をしてまんまと逃《に》げ出したのである。

とはいえ、外の世界にもどってきても「脱獄囚《だつごくしゅう》のおたずね者」である以上、明るい道は歩けない。

ヴィドックはこの後も何度となく逮捕《たいほ》され、そのたびに脱獄《だつごく》をくり返した。

その間に多くの犯罪者《はんざいしゃ》と知り合い、親しくなったものだ。犯罪《はんざい》のさまざまな手口や裏《うら》社会のネットワークにくわしくなり、変装《へんそう》や脱獄《だつごく》のテクニックに磨《みが》きがかかる。

そんな生活を10年ばかり続けて——ある日、ヴィドックはほとほといやになったのだ。

(もう逃《に》げ隠《かく》れする毎日はいやだ。真人間になって、ふつうに生きよう。)

ヴィドックはそう心に決めたが、周囲《しゅうい》はなかなかそう見てくれない。

「あの乾物屋《かんぶつや》は、有名な前科者らしいじゃないか。今も何か悪いことをたくらんでいるんだろうな。」

そんなうわさ話が聞こえてくる。

何か事件《じけん》があれば「あいつのしわざでは?」と疑《うたが》われるのである。

「おまえはウジェーヌ＝フランソワ・ヴィドックだな?」

気づくと、ヴィドックの前に警察官《けいさつかん》が何人か立っていた。

ヴィドックは警戒《けいかい》の色を強めた。

(逮捕状《たいほじょう》が出たのか？　「はい」と言うべきか、しらばっくれるべきか。いや、もう調べはついてるんだろうな。)

ヴィドックは、警察官《けいさつかん》たちをなぐり倒《たお》して逃走《とうそう》したい衝動《しょうどう》をおさえた。

(それをやらかしたら、また同じことのくり返しになる。)

ヴィドックはやっとのことで声をしぼり出す。

「ああ、そうだが……。」

すると、１人の警察官《けいさつかん》が前に進み出た。

「わたしは警察《けいさつ》長官のジョゼフ・フーシェだ。おまえは、ナポレオン閣下《かっか》がジョゼフィーヌ皇后《こうごう》に贈《おく》ったエメラルドのネックレスが盗《ぬす》まれた事件《じけん》のことを知っているかな？」

ヴィドックは青ざめた。

「ええ。そういう事件《じけん》があったのは知っています。でも、オレは盗難事件《とうなんじけん》にはいっさい関係ありませんよ。」

フーシェ警察長官《けいさつ》はヴィドックに詰《つ》めよった。

「今すぐ店じまいしろ。これからいっしょに来てもらいたい。」

「おい……オレは何もやってない！　本当だ！」

警察官《けいさつかん》たちにわきをかためられ、ヴィドックはうむを言わさず警察署《けいさつしょ》に連れていかれた。

そして、この日から――ヴィドックは新しい人生を送ることになる。


ヴィドックがネックレスの盗難事件《とうなんじけん》に関わっていないのは本当だ。では、なぜ警察《けいさつ》に連れていかれたのだろうか。

フーシェ警察《けいさつ》長官は、ヴィドックにネックレス盗難《とうなん》事件《じけん》の捜査《そうさ》への協力を求めたのだ。この当時のフランス警察《けいさつ》は政治犯《せいじはん》の検挙《けんきょ》が主な仕事で、盗難《とうなん》や殺人《さつじん》などの捜《そう》査《さ》方法が確立《かくりつ》されていなかった。そこで目をつけたのが名だたる犯罪者《はんざいしゃ》のヴィドック。犯罪《はんざい》の手口や組織《そしき》にくわしい彼《かれ》なら、犯人《はんにん》を見つけることができると踏《ふ》んだのだ。ヴィドックは期待通りの働きをした。知り合いから情報《じょうほう》を集めると、たった3日で犯人《はんにん》とネックレスのありかを突《つ》き止めたのである。

ナポレオン皇帝《こうてい》じきじきに「その才能《さいのう》を世のために生かしてほしい」と言われ、ヴィドックはスパイに転身。表向きは逃亡犯《とうぼうはん》のふりをしながら犯罪者《はんざいしゃ》とつきあいを続け、犯罪《はんざい》計画を警察《けいさつ》に伝えて事件《じけん》を未然に防《ふせ》いだ。やがては警察《けいさつ》の特捜班《とくそうはん》の主任《しゅにん》捜査官《そうさかん》にまで出世したからすごい。「犯罪捜査学《はんざいそうさがく》の父」と呼《よ》ばれたヴィドックの経験《けいけん》談《だん》は、エドガー・アラン・ポーなどの推理《すいり》小説作家にも大きな影響《えいきょう》を与《あた》えたという。

31

砂《さ》漠《ばく》の真ん中で

危《き》機《き》↓逆《ぎゃく》転《てん》？

遭難《そうなん》したときは、むやみに動き回らない方がいい。

そう聞いたことがあったけど――広大な砂《さ》漠《ばく》の中でまったく希望がないと、じっとしているのは難《むずか》しいものだ。

通信手段《しゅだん》はない。

ああ、どうにかしてオレたちがここにいることを伝えられれば……！

食料も水も残りわずかになって、オレとカシムはあせっていた。

カシムはオレなんかよりずっとしっかりしてて頼《たよ》りになるヤツだが、二人っきりってのは不安でしょうがない。

この世界に取り残されたような気持ちになってきてさ。

だれでもいい……それこそオレたちと同じように遭難中《そうなんちゅう》の人だっていいから、ほかの人間の顔を見たかった。

それで、おそるおそる車を発進させたら遠くに大型《おおがた》の車が見えたんだ。

オレは目をゴシゴシこすって、双眼鏡《そうがんきょう》をもう一度かまえる。

「まちがいない。あれは車だ。もしかして人がいるかも。あの車のところまで行こうよ！」

カシムは最後のタバコをオレに渡《わた》した。ライターのガスももうほとんどない。

「そうだな。ガソリンも残り少ないけど……どうせそれほど走れないんだし、行けるとこまで行ってみるか。」

しかし、車はもぬけの殻《から》だった。

オレは心の底からがっくりしていた。

（ここまで来たのは意味がなかった。少しでもガソリンを残しておいた方がよかったのか？　いや、でも……。）

「この車、後部ドアが開くぞ！」

カシムの声に、オレはハッと顔を上げた。

オレがぼんやりしている間に、カシムはワゴン車のドアを開けて中を調べにかかっていたんだ。

「ガソリンが残ってるのにエンジンがかからない。故障《こしょう》して動かなくなったんだな。でも、車体はわりときれいだから、このワゴンが乗り捨《す》てられたのは比較的《ひかくてき》最近だと思うぜ。」

オレはちょっと元気を取りもどした。

「そうか。何か役に立つものがあるかも！」

残念ながら食料や水はなかった。

あったのは車の修理《しゅうり》用《よう》の工具セットと、交換用《こうかんよう》の大きなタイヤが２つ。シートに転がっていたトランクの中にはぶあつい聖書《せいしょ》と絵ハガキが数枚《まい》。

すると、カシムがうれしそうな声を上げたんだ。

「一斗缶《いっとかん》があるぞ！　ガソリンかもしれない！」

一斗缶《いっとかん》を開け、オレたちはにおいを確《たし》かめた。

「これは灯油じゃない。まちがいなくガソリンだ。」

「18リットルあるからかなり走れるぞ！」

「やった！」

両腕《りょううで》をふりあげた瞬間《しゅんかん》、とんでもないことが起こった。

オレはよろけてつまずき……一斗缶《いっとかん》を倒《たお》してしまったんだ。


かわききった砂漠《さばく》の砂《すな》にガソリンがしみこんでいくのを、オレはぼうぜんとながめていた。奇跡的《きせきてき》に見つけた希望の光を一瞬《いっしゅん》で台なしにしてしまうなんて。

カシムに申し訳《わけ》なさすぎる。消えてしまいたい……。

しかし、カシムはオレをののしりもせず、ガソリンがしみこんでいく砂《すな》をかき集めていた。

さすがのカシムも混乱《こんらん》しているんだ。

オレはそう思いこんでいたから、まさか、カシムが助かるための次なる行動にかかっていたとは想像《そうぞう》もしなかったね。

結果論《けっかろん》でいえば、オレたちはワゴン車の持ち主が残していったもののおかげで助かった。だから、この車のところまで来たのはまちがいじゃなかったんだ。

もちろん、それを使いこなす方法を考えついたカシムが優《すぐ》れていたってことだがね。


カシムは助かるために何をしたのだろうか。

解説《かいせつ》

カシムがやったのは、のろしを上げることである。カシムは、ガソリンがしみこんだ砂《すな》を集めて缶《かん》にもどした。それから缶《かん》の横に工具で空気穴《あな》を開け、ライターで着火して「火種」を確保《かくほ》した。「ガソリンで作ったどろ」は燃焼《ねんしょう》時間が長いのだ。この「即席《そくせき》バーナー」は第二次世界大戦中、イギリス軍が野営《やえい》するときに使った方法として知られている。そして、タイヤを燃《も》やしてのろしを上げたのだ。のろしのおかげで、2人は発見され、救出《きゅうしゅつ》されたのである。

タイヤは燃《も》やすと猛烈《もうれつ》な煙《けむり》が上がる。有毒《ゆうどく》ガスが発生することもあるので距離《きょり》をとること。煙《けむり》がすごいので、たき火の代わりにはならない。こんな状況《じょうきょう》でもなければ燃《も》やすものではないと覚えておこう。

32

大自然のドラマ

勝負→結果？

アメリカ南部のとある砂漠《さばく》にて。

オレは、５本の指を広げた巨大《きょだい》な手のひらのようなサボテンのもとに立っていた。野生動物が暮《く》らす大地は雄大《ゆうだい》で――それゆえに心細い。オレがふだん生活している都会の街と地続きでつながっているとは思えない。別の星に来たような気分だ。

十数年ぶりにばったり会ったロバートは高校の同級生。今はプロのカメラマンになっている。

ロバートが休暇《きゅうか》を利用して砂漠《さばく》の野生動物を撮《と》りに行くとこだって言うんで、ヒマなオレは頼《たの》みこんでついてきたわけさ。休暇中《きゅうかちゅう》でも写真を撮《と》りに行くなんて、どうかと思うけどな。

お、ロバートがバカでかい望遠レンズつきのカメラをかついでもどって来た。

「車にもどるぞ。ココーテが獲物《えもの》を探《さが》してる。」


オレたちは車の天井《てんじょう》の窓《まど》から上半身をつき出していた。

あ、岩の上に何か灰色《はいいろ》っぽい小さいものが乗り上げたぞ。

「あれはなんだ？」

「ツノトカゲだ。イグアナの仲間だな。」

乗り出してよく見ると、頭や背中《せなか》、横っ腹《ぱら》にトゲトゲがついている。シッポはあるけど、おなかが丸っこいからカエルみたいに見える。

「おもしろいものが見られるかもしれないぞ。」

ロバートがカメラをかまえると同時に――ココーテがこっちに走ってきた。

「って……ココーテはこいつを食べる気か？」

ココーテは身軽に岩の上に飛び上がる。その足の下から、ツノトカゲがチョロチョロ逃《に》げていく。ココーテって間近で見るとけっこうデカいな。体長1メートルくらいあるか？

ツノトカゲもなかなかすばやいから、逃《に》げ切れるんじゃないかと思ったんだが。

次の瞬間《しゅんかん》。ココーテがツノトカゲに飛びかかり——ツノトカゲの顔からふき出た液体《えきたい》が、ココーテの顔面を真っ赤に染《そ》めあげた。血だ！　あっけない勝負だったな……。

「大自然の中は肉食獣《にくしょくじゅう》の天下だな。」

オレが言うと、ロバートはニヤリと笑ったんだ。

「いや、勝ったのはツノトカゲだ。」

ロバートは、血をふき出したツノトカゲが「勝者」だと言う。なぜだろうか。

解説《かいせつ》

ツノトカゲはピンチになると、両目のはしにある管から敵《てき》の顔を目がけてピューッと血液《けつえき》をふき出して撃退《げきたい》するのだ。相手がびっくりすることはもちろん、この血にはコヨーテやオオカミなどイヌ科の動物がきらいな化学物質《ぶっしつ》がふくまれているのだ。

ロバートが言った通りコヨーテは逃《に》げ去り、ツノトカゲは生き残ったのである。ロバートは貴重《きちょう》なシーンを写真におさめることができ、大喜《おおよろこ》びだったという。

ツノトカゲは、北アメリカから中央アメリカにかけて生息するは虫類。身を守るために目から血液《けつえき》をふき出す撃退法《げきたいほう》はとても珍《めずら》しいもの。だが、たくさんの血を使うのでかなりダメージを受けるし、何度も続けて噴射《ふんしゃ》することはできない。まさに命がけの技《わざ》なのである。

33

ヌシとの対決

危《き》機《き》↓逆《ぎゃく》転《てん》？

「X《エックス》川のヌシを釣《つ》ってみせる！」

オレが友達の前で宣言《せんげん》したのは1か月前のこと。

「マジで？　おまえに釣《つ》れるのかよ。」

マテウスは鼻で笑ったが、ペドロはオレの味方をしてくれた。

「ミゲルはオレらの中じゃ一番うまいもん。きっと釣《つ》ってみせるよ。」

オレは深々《ふかぶか》とうなずいた。このとき、オレはある小説の影響《えいきょう》で、だいぶ英雄《えいゆう》モードな気分になってたんだ。

「X《エックス》川のヌシ」と呼《よ》ばれてるのは、体長1メートルくらいの銀色のアロワナだ。

この川じゃ、ほかにあんなデカい魚はいない。

いつもゆうゆうと――オレたちがちっちゃいナマズだのなんだのを釣《つ》り上げてるのを、気にしてないみたいに堂々《どうどう》と泳いでる。

そんな風格《ふうかく》ある姿《すがた》から、だれかが「ヌシ」って呼《よ》び始めたんだよな。


オレがヌシを釣《つ》り上げる宣言《せんげん》をしたのは、『白鯨《はくげい》』っていう小説の影響《えいきょう》だ。

たまたま中学校の図書室にあってさ。海から水しぶきを上げてはね上がるデカいクジラの絵の表紙にひかれて手に取ったんだけど。捕鯨船《ほげいせん》に乗った男たちと、凶《きょう》暴《ぼう》な巨大《きょだい》クジラのバトルがすごい迫力《はくりょく》でさぁ、「オレも命がけで戦いたい！」とか思っちゃったんだよな。

そこで、ヌシのことを思い出したわけなんだな。

宣言《せんげん》をしてから日曜ごとにこの川に通って。

4回目の今日、ついにヌシはオレのルアー（魚のエサになる小魚やミミズなどに似《に》せた作り物）に食いついてきたんだ。

にごった川の水面でデカい口をパクパクさせているのは――ヌシだ。

まちがいない！

心臓《しんぞう》がドキンと大きく波打つ。

口に針《はり》がしっかり刺《さ》さったんだろう。ヌシは、ものすごい勢《いきお》いであばれていて、釣《つ》り竿《ざお》を持ってるこっちの手元が揺《ゆ》さぶられるほどだ。

オレは必死にふんばっているが――想像《そうぞう》以上に力が強い。うっかりしたら川に引きずりこまれるぞ。

でも、まだリールを巻《ま》ける状態《じょうたい》じゃない。どうすりゃいいんだ？

ちょっとはなれたところで釣《つ》り糸をたれてる仲間に助けを求めるか？

ペドロに網《あみ》を持ってきてもらう？

それはイヤだな。やっぱり竿《さお》で……自分一人で釣《つ》り上げたい！

ごちゃごちゃ考えてる間に、一瞬《いっしゅん》スキが生まれたんだよな。

「うわぁ〜〜〜〜っ！」

オレは絶叫《ぜっきょう》した！

「ヌシに竿《さお》、持ってかれた〜っ！」


バタバタとみんなが集まってきた。

「え〜、竿《さお》持ってかれたのかよ？　最悪だな。」

「釣《つ》り上げる宣言《せんげん》までしたのにかっこ悪すぎだろ。」

みんなは失望しきった視線《しせん》でオレを見ている。

なんだよ、みんなえらそうに。オレより下手なくせに！

ヌシはオレの竿《さお》を引きながら、身をくねらせて下流に泳いでいってしまう。

オレは頭をかかえた。

「あーあ、あの竿《さお》、新しく買ったばっかなんだ。高かったんだぜ！」

すると、ペドロが心から同情《どうじょう》した表情《ひょうじょう》で言ったんだ。

「そうか……。よし、ヌシも釣《つ》り竿《ざお》もぼくにまかせてよ！」

は？　オレはポカンとして、釣《つ》り竿《ざお》を片手《かたて》に走っていくペドロの小柄《こがら》な背中《せなか》を見つめた。

ペドロときたら下手すぎて、自分の釣《つ》り糸を他人のにからませてばっかなのに。

「ぼくにまかせて」だと……？

しかし、ペドロは「英雄《えいゆう》」になった。この一件《けん》はオレたちの間で、語り草になったんだ。

ペドロはヌシと主人公の釣《つ》り竿《ざお》を持って帰ってきた。釣《つ》りが下手なのに、なぜそんなことができたのだろうか。

解説《かいせつ》

ペドロは自分の釣《つ》り竿《ざお》の糸を、ヌシが引いている主人公の竿《さお》の糸にからめたのだ。ヌシは身動きが取りにくくなってあばれ、糸はさらに絡《から》まって強度を増《ま》した。そして、ペドロは竿《さお》ごとヌシを川岸に引きずり上げることに成功したのだ。こうして主人公の竿《さお》を回収《かいしゅう》し、ヌシを捕獲《ほかく》したペドロの機転はみんなにほめられたのである。シルバーアロワナは、南米などの川にすむ大型《おおがた》の川魚。野生のものは1メートル以上、3キロほどに成長するという。

ところで、川に釣《つ》り具などを落とした場合はいさぎよくあきらめた方がいい。落としたものを拾おうとして川に流されるケースは少なくない。川岸や岩で足をすべらせて転落する事故《じこ》も多いので、ライフジャケットを身につけるなど、できる限《かぎ》りの準備《じゅんび》をしよう。ちなみに主人公が影響《えいきょう》された『白鯨《はくげい》』はアメリカの小説家、ハーマン・メルヴィルの長編《ちょうへん》小説。映画化《えいがか》もされているので、興味《きょうみ》のある人はぜひ調べてみてほしい。

34

深夜の脱出《だっしゅつ》

理由→なぜ？

「起きて！　火事だよ！」

一瞬《いっしゅん》で目が覚めた。これが寝起《ねお》きの悪いオレを起こすための妻《つま》のウソだったら……と期待したけど、残念ながら本当らしい。オレを見つめるシオの目はいたって真剣《しんけん》だ。枕元《まくらもと》の時計は午前2時すぎ。ああ、確《たし》かにこげくさい！

「となりの人がドンドン壁《かべ》をたたいて知らせてくれたの。何かと思ってベランダの窓《まど》を開けたら……下の階から出火してるんだよ！」

シオはまくし立てながら引き出しから預金《よきん》通帳を取り出してトートバッグに放りこみ、部屋の中を落ち着きなく歩き回る。

「わかった、持ち出すものは最小限《さいしょうげん》だ。手荷物が多いと危《あぶ》ない。ともかく早く……。」

えーと、こういうときどうすりゃいいんだ？

ここはマンションの3階だが——。

「火事のときはエレベーターは故障《こしょう》して閉《と》じこめられる危険《きけん》があるから使わない方がいいんだよな。」

「じゃ、階段《かいだん》を降《お》りよう！」

「でも、そっちに火が回ってたら降《お》りられないぞ。ベランダの避難《ひなん》器具を使おう！」

ベランダには金属製《きんぞくせい》のおりたたみ式のはしごがある。年に1回、点検《てんけん》の人がチェックしに来てるから安全性《あんぜんせい》は問題ないはず。ちゃんと出せるかな？　いや、そんな難《むずか》しいはずないよな。

「やだよ！　あんなはしごで降《お》りるなんて。絶対《ぜったい》ムリ！」

そうだ。シオは高所恐怖症《きょうふしょう》なのだ。

「そんなこと言ってる場合か！」

「階段《かいだん》で行けるか、ドアを開けて外の様子を見てから判断《はんだん》すればいいじゃん！」

シオは小走りで玄関《げんかん》に向かう。

「待て！　オレが確《たし》かめる！」

オレはシオの肩《かた》をぐいっとつかんで前に出ると、ドアノブに手をかけた。

「ダメだ。こっちは危《あぶ》ない。シオ、ベランダに出ろ！　頼《たの》むからオレのいう通りにしてくれ！」

オレたちはベランダの避難《ひなん》ばしごを使い、無事に脱出《だっしゅつ》できた。ちなみに消防隊員《しょうぼうたいいん》の人もオレの一瞬《いっしゅん》の判断《はんだん》をほめてくれ――シオも「言うことを聞いて本当によかった」と言ったのである。


主人公はドアノブに手をかけただけで、ベランダから脱出《だっしゅつ》すべきだと判断《はんだん》した。なぜだろうか。

解説《かいせつ》

　ドアノブが熱くなっていたためだ。主人公はドアの向こう側に炎《ほのお》が迫《せま》っていると察知したのである。ドアの外を見たくなるところだが、ドアを開けると火災《かさい》のときに発生する一酸化炭素《いっさんかたんそ》などの有毒《ゆうどく》ガスが部屋に流れこむ危険《きけん》もある。有毒《ゆうどく》ガスを吸《す》いこむと体が思うように動かなくなったり意識《いしき》を失ったり、最悪の場合は死に至《いた》る可能性《かのうせい》がある。ドアノブが熱くなくてもドアを開けるときはゆっくり慎重《しんちょう》に。姿勢《しせい》を低くして（煙《けむり》は上に上るため）、ハンカチなどで口元を押《お》さえて移動《いどう》する。

「ドア→階段《かいだん》」ルートが危険《きけん》な場合は、ベランダや窓《まど》から避難《ひなん》しよう。避難《ひなん》ばしごがない場合は、大声を出して救助《きゅうじょ》を待つ。シーツなど目立つものを振《ふ》り回してアピールしよう。やむを得《え》ない場合は避難《ひなん》用のロープ（なければシーツやカーテンを代用）を利用して脱出《だっしゅつ》。ベッドのマットレスやふとんなどクッションになるものを下に落としておくといい。火事の時の心得《こころえ》は①知らせる（通報《つうほう》）②すぐ逃《に》げる③煙《けむり》を吸《す》わない④物を取りにもどらない。よく頭に入れておこう。

35

小さなエイリアン

成功↓なぜ？

「こっちの玉ねぎも焼けてるよ！　ほら、お肉も。早く食べないとこげちゃう！」

ユイカはバーベキューコンロの上の野菜やお肉をひっくり返し、あたしとヨシノのお皿にせっせと取り分けてくれる。

「待ってよ、そんなにいっぺんに食べられないってば。」

ヨシノはそう言いながらも、コンロの上に生の玉ねぎを追加でのせた。

ユイカがすかさずツッコむ。

「ちょっと～、言ってることとやってることが真逆《まぎゃく》なんだけど！」

あたしたちは、大学で同じクラスになった仲よし3人組。今日は近くの山に日帰りキャンプに来たんだ。この3人でいると笑いっぱなし！

ん～、それにしても自然の中で食べるバーベキューってどうしてこうおいしいんだろ。甘辛《あまから》のタレもいいけど、次は塩とレモンにしようかな。

「あ、ピーマン落としちゃった。」

紙皿から転がり落ちたピーマンを拾おうとしたとき、あたしはそれに気づいたんだ。最初はユイカの足に、焼けすぎた玉ねぎがくっついてるのかと思ったんだけど。

「ユイカ……足になんかついてる！」

ユイカは視線《しせん》を落とすと、右ひざの下にくっついてる茶色のものに気づいた。

「やだっ、何これ⁉　気持ち悪い！」

ユイカはイスから立ち上がると、右足をぶんぶんふり回した。

それでも取れなくて、ユイカは「やだぁ～！」と泣き声を上げる。

あたしとヨシノは顔を見合わせた。

「ユイカ、ちょっと止まって。ちゃんと見せて。」

あたしたちは、半べそ状態《じょうたい》のユイカをイスに座《すわ》らせる。

そして、ユイカの足にくっついてるものをじっと観察したんだ。

全長4センチくらいで茶色くて、なめくじみたいにヌメヌメしてる。

頭（？）の先っぽだけが皮膚《ひふ》にくっついてる状態《じょうたい》。なのに、ユイカが足をふり回しても取れないなんて。

こんなの見たことない。エイリアンみたい、と思ったときヨシノが言ったんだ。

「これ、ヒルじゃないかな。」

ヒル？　名前は聞いたことあるけど……。

ヨシノは、さらに顔を近づけてそれを観察した。勇気あるなぁ。

「えーと、たしか血を吸《す》うヤツだよ。」

「もしかして、こんなにパツパツにふくらんでるのって血を吸《す》ってるから？」

あたしが言うと、ユイカは顔をゆがめた。

「血を吸《す》うの？　毒《どく》とかあるの？　早く取ってよぉ〜！」

あたしとヨシノはまたまた顔を見合わせた。

これにさわるのって——かなりイヤなんだけど。

「そうだ、割《わ》りばしで取ったらよくない？」

あたしは予備《よび》の割《わ》りばしを取り出した。

うえぇ……じかにさわるんじゃなくても気持ち悪いよぉ！

割《わ》りばしでしっぽ（たぶん）の方をつまんでみた。

ところが、引っぱってもビヨ〜ンとのびるだけで取れない！

「ダメだ、取れないよ〜。」

「あ、無理に引っぱらない方がいいかも。今思い出したんだけど、中学のとき、友だちがマダニにかまれたことあってさ。」

ユイカは、両手で顔をおおったすきまからヒルを見ながら言う。

「マダニも血を吸《す》う虫なんだけどね。かみついてるのを無理にはがそうとすると体がちぎれて、かみついてる口が皮膚《ひふ》に残っちゃうんだって。」

あたしは身ぶるいした。

「どうしよう。病院に行った方がいいのかな？　ユイカ、痛《いた》い？」

「痛《いた》くはないけど……。」

「早くなんとかしよう！　こんなナメクジみたいなのくっつけたままにしとくなんて、絶対《ぜったい》やだもんね！」

ユイカを元気づけようとこう言ったとき――あたしは、ひとつの可能性《かのうせい》に気づいたんだ。

もしかして、ヒルをはがせるかもしれないって。


主人公はどうやってヒルをはがすのだろうか。

解説《かいせつ》

ユイカの足にくっついていたのはヤマビルという血を吸《す》うヒル。血を吸《す》う前は2センチほどで細長いが、血を吸《す》うと体がふくらみナメクジのような見た目になる。吸盤《きゅうばん》のような口で吸《す》いつくと、皮膚《ひふ》にあごで傷《きず》をつけて血を吸《す》う。しっかり食いつくので、無理に引っぱると口の部分が残ってしまうことがある。

主人公は、ヒルがナメクジに似《に》ていることから「塩をかけてみよう」と思いついたのだ。これは大正解《だいせいかい》。ヒルはナメクジと体のつくりが似《に》ていて、体のほとんどが水でできている。塩をかけると、体の外側の粘膜《ねんまく》に溶《と》けて、食塩水ができる。すると、体内の水分は、体をおおううすい膜《まく》を通して外にどんどん出ていくのだ。塩をかけると溶《と》けるのではなく、体が小さくなるわけ。ポロリと落ちたヒルを焼いて、退治《たいじ》は終了《しゅうりょう》。ヒルに血を吸《す》われると、傷口《きずぐち》の出血がなかなか止まらないが心配はない。これはヒルが、血がかたまりにくくなる成分を出しているため。かゆくなるが、毒《どく》はないのでよく洗《あら》えば問題ない。

36

車上荒《あ》らし

危《き》機《き》↓逆《ぎゃく》転《てん》？

大学1年の夏休みもそろそろ終わり。大学の寮《りょう》にもどる前に「幼《おさな》なじみで会いたいな」って思って。急に声をかけたんだけど、ミヤコとカノとサチ——小学生のときの一番の親友たちが集まってくれた。

みんな、たまたま夜しか空いてなかったから。

それで、一発で「川原で花火やろう！」って決まったの、よかったかも。

ちょうど免許《めんきょ》取り立てで運転の練習したかったから、あたしが車を出したんだ。

ミヤコが「車なんか運転しちゃって、あんたも大人になったよねぇ」なんて、しみじみ言う。

「何言ってんの、同い年のくせに。」

カノがすかさずツッコむと、ミヤコは「あたしは高校3年のときから運転してるから大先輩《だいせんぱい》だもーん」と言い返す。

ああ、このノリなつかしいな。

助手席のサチはクスクス笑いながら——じつは、あたしが標識《ひょうしき》を見逃《みのが》したりしないか見ててくれるの、わかってる。

いい夜だな。みんなを誘《さそ》ってよかった！

車を駐車場《ちゅうしゃじょう》に停《と》めると、あたしたちは荷物を下ろした。

冷たいペットボトルとアイスが入ったクーラーボックス、ポテトチップスとかのおやつをいっぱい、蚊取《かと》り線香に虫よけスプレー、小型《こがた》のライト。花火セットはさやかな線香花火からロケット花火までいろんな種類が詰《つ》め合わせになってるやつ。消火用の水を入れるバケツと、もちろんライターも。

我《われ》ながら完璧《かんぺき》な装備《そうび》だよね。

それが……川原に向かって歩いてるとき、気づいたんだ。

「しまった。車の窓《まど》、開けっぱなしで来ちゃった。」

「はいはい、運転初心者がやりがちなミスだよね！」

そんなこと言いながらも、みんないっしょに駐車場《ちゅうしゃじょう》にもどってくれるの、ありがたいなぁ。


ところが、駐車場《ちゅうしゃじょう》のうすあかりのもと——あたしは目を疑《うたが》った。

「やだ……車の中に、サルがいる！」

何匹《びき》いるんだろう。4、5匹《ひき》くらい？

みんな、おびえて後ずさった。けっこう大きいサルみたい。めっちゃこわい。

立ちすくんで車をながめてると、サチがあたしの服を引っぱった。

「あんまり見ちゃダメ。たしかサルって目を合わせちゃいけないんだよ！」

「そうだ、このお菓子《かし》で外におびき出したら？」

カノがおやつの入った袋《ふくろ》を持ち上げると、ミヤコが言う。

「それ、やっちゃダメなやつ。ここに来たらエサがもらえると思っちゃうよ。野生動物が人間をナメる原因《げんいん》になるんだって。」

「攻撃《こうげき》する？　近づくのはムリだけど。ここから石を投げつけたら？」

「怒《おこ》って向かってきたらどうすんの⁉」

「車にキズがつくだけかも。」

「この車、お父さんのだしねぇ……。」

あたしたちは、ため息をついた。

車の中に食べ物はないのに、どうしていすわってるんだろう。

腹立《はらた》つ！

「警察《けいさつ》、呼《よ》ぶ？」

「うーん、困《こま》ったときは警察《けいさつ》だよね？　でも、すぐ来てくれるかなぁ？」

っていうか1秒でも早くサルに出てってもらいたい！　車がくさくなりそう！

「そうだ。バイト先の店長が、スーパーの前にいたサルをクラクションで追っ払《ぱら》ったって言ってたよ！」

カノが言うと、みんなの顔が一瞬《いっしゅん》パッと輝《かがや》く。

「あ、でも……かんじんの車が乗っ取られてるんだよねぇ。」

やっぱり警察《けいさつ》を呼《よ》ぶか、と思ってスマホを取り出そうと荷物をあさったとき。

あたしは、サルを追い払《はら》う作戦を思いついたんだ。

主人公はどうやってサルを追い払《はら》ったのだろうか。

解説《かいせつ》

ヒントになったのは「クラクションの音でサルを追い払《はら》った」という話。主人公は、サルが大きい音をこわがるなら、ロケット花火を打ち上げればいいと思いついたのだ。ロケット花火は、火花を噴《ふ》きながら上昇《じょうしょう》し、上空で「パンッ」とハデな破裂音《れつおん》を響《ひび》かせる。ロケット花火を連発すると、サルたちは車から逃《に》げていったのである。じつは、この「ロケット花火作戦」は、野生動物の被害《ひがい》に悩《なや》む地域《ちいき》でよく使われている。あらかじめ動物を追い払《はら》うための、専用《せんよう》のロケット花火も作られているそう。サルが人間の生活エリアに近寄《ちかよ》らないようにするには、「ここに来たら恐《おそ》ろしい目にあう」と学習させることが有効《ゆうこう》なのだ。

逆《ぎゃく》に、「食べ物にありつける」「追い払《はら》われない」と思わせたらサルは調子に乗る。見かけたら石を投げたり棒《ぼう》を振《ふ》り回すなどして追い払《はら》うことが大事だが、子どもや女性《じょせい》は無視《むし》すること。大人の男性《だんせい》でも、一人で向かうのは危険《きけん》だ。遭遇《そうぐう》したら「目をそらし、背中《せなか》を向けないで立ち去る」と覚えておこう。

37

悩《なや》める料理番

成功↓なぜ？

500年ほど昔、ロシアにて。

きびしい寒さの冬が去り、春が訪《おとず》れ――心浮《う》き立つ季節だというのに、料理番のウラジーミルはゆううつそうに戸口に座《すわ》りこんで玉ねぎの皮をむいていた。

「ウラジーミル、どうした？　さえない顔をして。」

ニコニコしながら声をかけてきたのは、庭師《にわし》のミハイルだ。

「今年もまたいやなシーズンに突入《とつにゅう》するからさ。」

「ああ、そろそろ断食《だんじき》が始まるものな……。」

キリスト教徒の春の一大行事といえば「復活祭《ふっかつさい》（イースター）」。キリストの復活《ふっかつ》を祝う祭りである。

復活祭《ふっかつさい》の日ともなれば、テーブルにあふれんばかりのごちそうを並《なら》べ、家族で盛大《せいだい》に楽しむ。しかし、ロシア正教（キリスト教の一種）では、この日を迎《むか》える前に40日以上もの断食《だんじき》を行わなければならないのだ。

断食《だんじき》といっても、もちろん何も食べないわけではない。

ロシア正教では、断食《だんじき》の期間中は肉を断《た》つ決まりだ。

ところが、肉だけでなく、魚に乳製品《にゅうせいひん》、卵《たまご》もダメ。さらに植物性《しょくぶつせい》の食品でも、脂肪分《しぼうぶん》の多いものはダメ。食べてはいけない食品のリストには、ピーナッツやクルミなども入っているのだ。

そもそもロシア人は、三度の食事で肉を欠かさないほど肉が大好きだ。寒い土地ゆえ、体に脂肪《しぼう》をたくわえる必要があるためともいわれるが――ともかく、脂肪分《しぼうぶん》の高い食品を長い間断《た》つのはたいへんな苦行である。

特にウラジーミルの主人であるイワノフ氏はこってりした料理が大好きで、この時期はとてもきげんが悪くなる。

イワノフ氏は「ちょっとくらい肉を食べたっていいだろう？　だれにもばれないように……」と、たびたび不謹慎《ふきんしん》なことを言い出す。

すると、妻《つま》のイワノフ夫人は夫をにらみつけて一喝《いっかつ》。

「何言ってるの！　あたしだってお肉は食べたいわよ。でも、だれだってガマンしてるんですからね。あなたはロシア正教徒としての自覚がないの⁉　本当にダメな人ね！」

夫人もイライラして気が立っているものだから口調がキツくなり、話題は関係ないことにも発展《はってん》して激《はげ》しい夫婦《ふうふ》げんかが始まる。

そんなわけでイワノフ氏はウラジーミルに八つ当たりすることになる。

「肉なしのボルシチなんて食べた気がしないぞ。」

「料理人だったらなんとか工夫して、もっと食べごたえのある料理を作ってみろ！」

という具合にどなられるわけだ。

「去年もクビになるかと思うくらい悪態《あくたい》をつかれたからなぁ。」

ウラジーミルは深いため息をついた。

ミハイルはあわれむようにウラジーミルの肩《かた》に手を置いた。

「気の毒《どく》になぁ。オレには何もできないが、イワノフさんの気持ちが少しでも楽しくなるようにと思ってさ。スペインで流行《はや》っているっていう、めずらしい花の種を買ってきたのさ。すばらしい大輪の花が咲《さ》くんだって。」

ミハイルが小さなかごを逆《さか》さにすると手のひらに種がこぼれ落ちる。大ぶりで平べったく、しまもようのある種だ。

ウラジーミルの顔に少し期待の色が浮《う》かぶ。

「その花、いつ咲《さ》くんだい？」

「今から種まきするから、たぶん夏ごろだな。」

「なぁんだ。断食《だんじき》のシーズンのずっと後じゃないか。」

ミハイルは決まり悪そうに頭をかいた。

「まあそうだが……イワノフさんは新しもの好きだから、少しは気晴らしになるんじゃないかと思ったんだ。ロシアには入ってきたばっかりだし。」

ウラジーミルの目がキラリと光った。

「ロシアに入ってきたばかり？　それは本当か？」

「ああ、まちがいないよ。」

その種をつまんだウラジーミルはニヤリと笑った。

「もしかすると……この種が助けになるかもしれないぞ！」


ウラジーミルはこの種をどうするつもりなのだろうか。

解説《かいせつ》

これはヒマワリの種だった。ウラジーミルは「ピーナッツだってクルミだって種なのだから、この種も脂肪分《しぼうぶん》があるはず」「ロシアに入ってきたばかりなら、禁止《きんし》リストに入っているはずはない」と考えた。調べてみるとその通り。ウラジーミルはミハイルにもらったヒマワリの種を料理に使ったり、油をしぼりとったりして主人を満足させたのである。

ヒマワリはもともとは北アメリカの植物。16世紀《せいき》ごろ、北アメリカから「観賞用《かんしょうよう》として」スペインに渡《わた》り、ヨーロッパに広まっていった。ロシアではヒマワリの油を使ったり、種を食べることがポピュラーに。人々《ひとびと》はロシア正教会に気づかれないようにせっせと栽培《さいばい》しては種を収穫《しゅうかく》していたそうだ。やがて、食用（そのまま食べる、油をとる目的の2種類）のヒマワリの品種改良が盛《さか》んになっていく。現在《げんざい》、世界でヒマワリが多く生産されているのはウクライナ、2番目がロシアなのである。

38

少年探偵《たんてい》ポロロ、ワナにはまる

危機《きき》→逆転《ぎゃくてん》？

ぼくともあろう者が、今回ばかりは大失態《だいしったい》だ。

天才少年探偵《たんてい》であるぼくと助手のアーサーは、宿敵《しゅくてき》、怪人《かいじん》99面相のワナにまんまとはまっておびき出され、雪山の山荘《さんそう》に閉《と》じこめられていた。

情《なさ》けなく思うのは、ぼくたちがねらわれたせいで一般人《いっぱんじん》を3人も巻《ま》きぞえにしてしまっていることだ。

まず、山荘《さんそう》の管理人であるマキタ夫妻《ふさい》。それから、ぼくらを助けようとして、いっしょに監禁《かんきん》されることになってしまったヨコタさん。ヨコタさんは警察官《けいさつかん》だが、今日は休みの日で散歩中だったという。

怪人《かいじん》99面相の部下たちによって、ぼくたちはロープでしばり上げられた。全員のスマホが取り上げられ、トンカチでガラクタにされるのを、ぼくらはだまって見ているしかなかった。

99面相の部下のうち、3人は怪人《かいじん》99面相に成果を報告《ほうこく》するために車で走り去り、見張《みは》りが1人残された。

ヤツによれば、やがて怪人《かいじん》99面相がやって来るという。

見張《みは》りは、ぼくたちに銃《じゅう》を向けながら笑った。

「その先、おまえらがどうなるかはボスが来てからのお楽しみだ！」

「ポロロくん、どうするの……？」

見張《みは》りがトイレに行ったすきを見て、アーサーが不安そうな声でささやく。

「だいじょうぶ。こんなシチュエーションは初めてじゃないだろう？　落ち着いて行動すれば、きっとチャンスは来る。雪が深いし、99面相はそう早くは到着《とうちゃく》しないだろう。」

ぼくは、マキタ夫妻《ふさい》とヨコタさんの顔を見回し、元気づけるように言った。

とにかく、巻《ま》きこんでしまった人たちを守りぬかなくては。ヨコタさんは若《わか》いし警察官《けいさつかん》だというし、戦力にもなる。問題は高齢《こうれい》のマキタ夫妻《ふさい》だ。特にマキタ夫人は持病の薬が切れ、一刻《いっこく》も早く病院に行かなくてはならない状態《じょうたい》なのだ。

そして、チャンスが訪《おとず》れた。見張《みは》りはうまい具合に水さしの水を飲んでくれた。さっき、ぼくが強力な睡眠薬《すいみんやく》をなんとかしこんでおいたとも気づかずに。イスに腰《こし》かけていた見張《みは》りの手から銃《じゅう》がすべり落ち——彼《かれ》はいびきをかきながら眠《ねむ》りこんだのである。

「あれ？　寝《ね》ちゃった？」

真っ先に声を上げたアーサーだけに見えるように、ぼくは目で合図をした。

「急にどうしたんだ……？」

ヨコタさんが心配そうに様子をうかがう。ずいぶんお人よしだなぁ。

「静かに。ともかく今がチャンスです。」

ブーツにしこんだナイフで全員のロープを切ると、ぼくたちは見張《みは》りをしばり上げた。深く眠《ねむ》っていて、しばり上げてもまったく目を覚まさない。

今のうちに脱出《だっしゅつ》……と言いたいところだが、具合の悪いマキタ夫人は自力で山を下りるのは無理だ。大人が2人いても、この雪の中をかついでいくのはきびしい。

「さぁ、警察《けいさつ》に通報《つうほう》だ。」

と言うと、アーサーが絶望的《ぜつぼうてき》な顔をした。

「でもスマホはないし電話線も切られてるし、周囲《しゅうい》に民家はないし……。」

ぐっすり寝《ね》ている見張《みは》りのポケットにもスマホはない。

「100メートルくらい先の無人の山小屋の前に公衆《こうしゅう》電話があったはずだ。」

しかし、ぼくが立ち上がると、ヨコタさんが制《せい》した。

「オレが行くよ。きみがここにいた方がみんな安心だろう。」

ヨコタさんはしばらくすると帰ってきた。しかし、がっかりした顔で口を開くとこう言ったのだ。

「うっかりしてた！　お金がなくて電話できなかったんだ。」

ぼくは直感的にヨコタさんはどこか信用できないと思っていた。そして、この一言でそれは確信《かくしん》に変わったのである。

ポロロはヨコタの「お金がなくて電話できなかった」という一言で、彼《かれ》は信用ならないと確信《かくしん》した。なぜだろうか。

解説《かいせつ》

公衆《こうしゅう》電話では「110（事件《じけん》や事故《じこ》のときにかける警察《けいさつ》の電話番号）」と「119（消《しょう》防車《ぼうしゃ》や救急車《きゅうきゅうしゃ》を呼《よ》ぶときにかける電話番号）」は無料でかけられる。ヨコタは自分を警察《けいさつ》官《かん》だと言っているが、それならこのことを知らないはずがない。そこで、ポロロは「ヨコタは、第2の見張《みは》り役としてしこまれた怪人《かいじん》99面相の手先」だと見破《みやぶ》ったのだ。ポロロは、ヨコタが出ていったあとに、彼《かれ》を疑《うたが》っていることをアーサーとマキタ夫妻《ふさい》に話していた。そこで、ヨコタが例の発言をしたあと、ポロロの合図でアーサー、マキタ氏は3人がかりでヨコタを組みふせ、しばり上げた。

ポロロたちはヨコタに銃《じゅう》をつきつけて、隠《かく》してあった車のありかを白状《はくじょう》させ、怪《かい》人《じん》99面相がやって来る前に逃《に》げ出すことができた。マキタ夫人も病院で治療《ちりょう》を受け、無事に回復《かいふく》したのである。

ちなみに公衆《こうしゅう》電話は、地震《じしん》などの災害時《さいがいじ》には無料で国内の固定電話や携帯《けいたい》電話にかけることができる。受話器を上げたら（お金を入れず）番号を押《お》すだけでOK《オーケー》だ。

39

信頼《しんらい》できる仲間

危機《きき》→逆転《ぎゃくてん》？

あの瞬間《しゅんかん》のことは忘《わす》れられない。

川の危険《きけん》は常識《じょうしき》として頭に入ってたはずなんだけど、油断《ゆだん》したんだな。

会社の同僚《どうりょう》たちと川の近くで泊《と》まりがけのキャンプをしに来たんだけど。

バーベキューをやっておなかがいっぱいになると——テントの中で休憩《きゅうけい》する人、近くを散策《さんさく》する人とか、みんなそれぞれに楽しみ始めた。

オレとサクマは、なんとなく川べりに来てさ。

「やっぱり釣《つ》りの道具持ってくればよかったな」なんて言いながら、川をのぞきこんでた。

「今、泳いでった魚、なんだろう?」

気になって、少し前のめりになったとき。

足元がすべってオレは川に落ちていたんだ。とっさに手を差しのべてくれたサクマも巻《ま》きぞえにして……。


落ちた瞬間《しゅんかん》はまだ、ずぶぬれでテントに帰ってみんなにツッコまれるだろうなってのんきに思ってた。

だけど、すぐに本物の恐怖《きょうふ》が押《お》し寄《よ》せてきたんだ。

この川、思ったより深い!

ギリギリ足がつくかつかないかだ。

「オレ、泳げないんだよ~っ!」


さけぶと同時に、オレはゴボッと水を飲んでしまった。

ヤバい、沈《しず》む沈《しず》む沈《しず》む!

バタバタしてたら……サクマがそばに来て、オレの肩《かた》をつかんでくれた。

「ありがとう！　ていうかゴメン！」

必死で声を出すと、サクマは落ち着いた口調で言ったんだ。

「いいから！　『浮《う》き身』はできるか？　あお向けになって浮《う》くだけだ。こうすれば息はできるから。オレをマネしろ！」

サクマがいてくれたから安心したんだが……事態《じたい》はそれほど甘《あま》くないみたいだ。

オレたちはあっという間に、川岸から遠くに流されている。

助けを呼《よ》ぼうにも、あまり天気がよくなかったせいか、川遊びをしてる人も見当たらない。

この先が滝《たき》につながってたりしたらどうするんだ？

泳ぎが上手《じょうず》な人でも、人を一人かかえて泳ぐのは難《むずか》しいっていう。

もし、危《あぶ》なくなったら……サクマに助けてはもらえないだろうな。

川に落ちたのはオレのせいなんだから自業自得《じごうじとく》だけど。

いや、こんなことを考えるのはやめよう。

前向きなことを考える。生きることを考えるんだ！

サクマに「助けを呼《よ》ばないのか？」って言おうとしたら、頭が沈《しず》みそうになってあせった。

「だいじょうぶ。落ち着いてジタバタしないことだ。人がいないところでどなっても、体力を消耗《しょうもう》するだけだから。浮《う》くことだけがんばれ！」

サクマは冷静に言った。

なるほど……。

オレはサクマのアドバイスに従《したが》って、身体《からだ》の力をぬいて「浮《う》く」ことに専念《せんねん》した。

ライフジャケットを着てくればよかったなぁ。

服を着てるせいで身体《からだ》が重くて浮《う》きにくい気がする。靴《くつ》にも水が入ってるし。

「服、ぬいだ方がよくない？」と聞いてみると、サクマはすぐに答えた。

「身体《からだ》が冷えるから着てろ。それに、服や靴《くつ》は浮《う》きやすいから助けになってくれる。」

そういうもんなのか。とにかくサクマの言う通りにした方がいいだろう。

ところが、ふと見ると——サクマは少しはなれたところに移動《いどう》している。立ち泳ぎをしながらモゾモゾしてるけど、何してるんだろう？見ると——サクマは頭の上にズボンをのせている。あいつ、服は着てた方がいいって言ったのに、自分だけぬいでるじゃないか。

オレは大きな不安にかられた。このときは、サクマが2人で助かるためにズボンをぬいでいるとは想像《そうぞう》できなかったんだ。

サクマはなぜズボンをぬいだのだろうか。

解説《かいせつ》

サクマはよゆうを持って主人公を支《ささ》えるために、ズボンで浮《う》き輪《わ》を作ろうとしたのだ。ただし、水の中でズボンをぬぎ、浮《う》き輪《わ》の形を作るのは、ある程度《ていど》泳ぎが上手《じょうず》な人でないとできないだろう。作り方は以下の通り。①ズボンのボタンやチャックをしめ、ズボンの裾《すそ》を結ぶ。②結び合わせた足の部分を首にかける。③ウエストの部分を両手で持って開き、大きく上下に動かしてできるだけ空気が入るようにする。④空気が入ったら、あお向けで水に浮《う》きながらウエストの部分を自分のおなかのあたりに置く。⑤両手でウエストの部分をしっかり押《お》さえる。

これで、ズボンは浮《う》き輪《わ》のような役目を果たしてくれる。サクマはおなかに「浮《う》き輪《わ》」をのせた状態《じょうたい》で足で水をかいて主人公のそばにもどってきた。

やがて、川岸に人の姿《すがた》が見えたので2人は声を出して助けを求め、ほどなく救出《きゅうしゅつ》されたのである。

40

A《エー》・O《オー》・B《ビー》・AB《エービー》

理由→なぜ？

少し昔、とある戦地にて。

「先生！　マーティン先生！」

ドアが乱暴《らんぼう》に開いて、ロッドという若《わか》い兵士《へいし》が飛びこんできた。

「こら、静かにしなさい。病人がいるんだぞ。」

にわか作りの掘《ほ》っ立て小屋のような野戦病院ではあるが、病院は病院だ。

マーティンは注意したが、ロッドはさらに大声でどなったのだ。

「たいへんなんだ！　ジェレミーが大ケガをした！」

仲間の兵士《へいし》たちが運んできたジェレミーの太ももは血まみれだった。銃《じゅう》の手入れをしていたところ、暴発《ぼうはつ》したのだという。

ジェレミーはぐったりして目をつぶっていた。

「気を失っているだけで、息はあるな。だが……出血が激《はげ》しい。輸血《ゆけつ》が必要だ。」

マーティンはキズの手当てをしながら続ける。

「運がいいことに、さっき輸血用《ゆけつよう》の血液製剤《けつえきせいざい》が届《とど》いたところなんだ。A型《エーがた》、O型《オーがた》、B型《ビーがた》、AB型《エービーがた》、全部そろってる。だけど、ジェレミーの血液型《けつえきがた》を調べるためのキットはないんだ。」

それを聞くとロッドはパッと明るい顔になる。

「ジェレミーはA型《エーがた》だ。まちがいない。オレはこいつと長いつきあいなんだ。ジェレミーのことならなんでも知ってる！」

マーティンは、まゆをひそめた。ロッドが言っていることを信じていいのか考えているのだろう。

すると、そのとき。ジェレミーがうすく目を開けて言ったのだ。

「そうだ。オレはA型《エーがた》だ……。」

まわりのみんなはホッとした表情《ひょうじょう》になる。

「よし、輸血《ゆけつ》の準備《じゅんび》をする。きみたちはじゃまになるから、出ていきなさい。」

マーティンはロッドを追い払《はら》いながら、彼《かれ》に背《せ》を向けて血液製剤《けつえきせいざい》を取り出した。

その血液製剤《けつえきせいざい》のパックには「O型《オーがた》」と書かれていた。


ジェレミーは自分は「A型《エーがた》」だと言った。それなのに、なぜマーティンは「O型《オーがた》」の輸血《ゆけつ》を行おうとしているのだろうか。

解説《かいせつ》

輸血《ゆけつ》をするときは、本人が「A型《エーがた》だ」と言っても、必ず検査《けんさ》をして血液型《けつえきがた》を調べることになっている。実際《じっさい》、自己申告《じこしんこく》した血液型《けつえきがた》がまちがっていたケースが少なくないからだ。このときは血液型《けつえきがた》を調べられなかったので、マーティンはどの血液型《けつえきがた》の人にも適合《てきごう》するO型《オーがた》を用意したのである。マーティンはこれを医学知識《ちしき》のないロッドに説明するのに時間がかかるのをおそれ、O型《オーがた》のパックを見られないようにしたのだ。ちなみに後日調べるとジェレミーはA型《エーがた》で、自己申告《じこしんこく》はまちがっていないとわかった。しかし、危険《きけん》を避《さ》けたマーティンの判断《はんだん》は賢明《けんめい》といえる。

輸血《ゆけつ》は本人の血液型《けつえきがた》と同じものがベストだが、可能《かのう》な組み合わせは次の通り。【A型《エーがた》を輸血《ゆけつ》できる→A型《エーがた》・AB型《エービーがた》】【B型《ビーがた》を輸血《ゆけつ》できる→B型《ビーがた》・AB型《エービーがた》】【AB型《エービーがた》を輸血《ゆけつ》できる→AB型《エービーがた》】【O型《オーがた》を輸血《ゆけつ》できる→A型《エーがた》・B型《ビーがた》・AB型《エービーがた》・O型《オーがた》】。輸血《ゆけつ》という医療《いりょう》が広まって以降《いこう》は、軍隊の兵士《へいし》などはいちいち調べなくても血液型《けつえきがた》がわかるよう、証明《しょうめい》するものを身につけるようになった。

41

人類のサバイバル

成功↓なぜ？

「いや〜ヤバい。この点数はないわ！」

6時間目にテストを返した直後の放課後はさわがしい。仲よしのニノとカンナは、窓際《まどぎわ》のカーテンにくるまりながらテストを見せ合っている。

「あたしだってひどいって。ネアンデルタール人からやり直すしかない！」

モロハシ先生は目を細めて通りすぎようとしたが——ニノの言葉にピクリと反応《はんのう》して足をとめたのだ。

「あのさ、一応《いちおう》聞くけど……今、どういう意味で『ネアンデルタール人』って言ったの？」

ニノは、先生に突然《とつぜん》意外な角度から話をふられてキョトンとしている。

「えーと……人間より頭が悪い、みたいな？」

モロハシ先生は「声をかけてよかった」と思った。

「いや、ネアンデルタール人って、われわれ『ホモ・サピエンス』とほぼ変わりはないからね。」

「そうなの？　だって、たしかネアンデルタール人の方がホモ・サピエンスより古くからいたんでしょ？　それで絶滅《ぜつめつ》したんだよね？」

「うん、その認識《にんしき》はあってる。だけど、ネアンデルタール人が進化したのがホモ・サピエンスではないよ。」

2人が混乱《こんらん》した様子なので、モロハシ先生は黒板を使って説明を始めた。

「整理しよう。われわれホモ・サピエンスが属《ぞく》する『ホモ属《ぞく》』が地球上に現《あらわ》れたのは約200万年前。いろいろなホモ属《ぞく》の人類が現《あらわ》れてはほろび……ネアンデルタール人が現《あらわ》れたのは約40万年前、ホモ・サピエンスが登場したのは20～30万年前といわれる。ネアンデルタール人は約4万年前に絶滅《ぜつめつ》したけど、ホモ・サピエンスは生き残って……今があるわけ。」

「あ、そうなんだ。ネアンデルタール人ってホモ・サピエンスの前の形態《けいたい》なのかと思ってた！」

「あたしも！」

「うん、これは大人でもまちがえやすいからね。実際《じっさい》、ネアンデルタール人とホモ・サピエンスの両方の遺伝子《いでんし》を持った人類もいたらしいし。」

モロハシ先生は言いながら、大事なことを言っておかなくてはと思った。

「そうそう、ぼくが学生だったころは『ネアンデルタール人は力は強いけど乱暴《らんぼう》で野蛮《やばん》』みたいに思われていたんだ。だけど、研究が進むにつれてそうではなかったことがわかってきた。ネアンデルタール人は、ホモ・サピエンスと同じように工夫した道具を作ったり、音楽や絵を楽しんだりしていたそうだ。脳《のう》の容量《ようりょう》は、ホモ・サピエンスと同じくらいか、それ以上だったんだって。」

「ネアンデルタール人は、ホモ・サピエンスより体が強くて頭もよかったってこと？」

カンナは意外そうな顔をする。

「だったら、なんでネアンデルタール人が絶滅《ぜつめつ》して、ホモ・サピエンスが生き残ったわけ？」

モロハシ先生は少々《しょうしょう》自信がなくなってきたのでタブレットを取り出した。科学の世界は日進月歩。きのうまで常識《じょうしき》と思いこんできたことが、研究者の新発見によってくつがえるのだ。

「ネアンデルタール人がなぜ絶滅《ぜつめつ》したのかは、いくつかの説があってはっきりはわかっていない。ネアンデルタール人が主に住んでいた地域《ちいき》が寒冷化したためだとか、ホモ・サピエンスとの戦いに敗れたという説もあるんだって。」

「え？　でも、ネアンデルタール人はホモ・サピエンスより強くて頭もいいんでしょ？　ホモ・サピエンスに敗れたってことはなくない？」

ニノがすぐに言い返したので、モロハシ先生は微笑《ほほえ》んだ。

「じゃあ、言い方を変えてみようか。ネアンデルタール人が絶滅《ぜつめつ》した理由はまだ明《めい》確《かく》じゃないけど——『ネアンデルタール人より弱いホモ・サピエンス』が生き残ったのは、『弱かったから』だといわれているよ。」

ニノとカンナはキツネにつままれたような顔になる。

「2人で話し合って答えを考えてごらん。」

モロハシ先生が言うと、ニノは顔を輝《かがや》かせてカンナのうでを引っぱり、カーテンに身をかくして会議を始めたのである。

「ネアンデルタール人より弱いホモ・サピエンス」が生き残った理由は「弱かったから」。この言葉の意味を推理《すいり》してほしい。

解説《かいせつ》

ホモ・サピエンスが優《すぐ》れていたのは、「集団《しゅうだん》をつくり、そのなかでコミュニケーションする能力《のうりょく》」だ。ネアンデルタール人も集団《しゅうだん》をつくって協力しあうことはできたが、「強い」ゆえにそれほど大きい集団《しゅうだん》をつくる必要がなかったという。一方、ホモ・サピエンスは、「弱い」からこそより大きい集団《しゅうだん》をつくり、そのなかで新たな発明や発見を仲間に伝え、大人数の知恵《ちえ》によってさらに発展《はってん》させることができた。現在《げんざい》のところ、これがホモ・サピエンスが生き残った理由と考えられている。ニノとカンナは、モロハシ先生の「2人で話し合って答えを出してごらん」という言葉をヒントに正解《せいかい》にたどり着いたのだ。

体が大きい種が優《すぐ》れていて、小さい種がおとっているわけではない。生物学でいう『進化』は、環境《かんきょう》に適応《てきおう》した形に変わるという意味だ。環境《かんきょう》にあわせて、必要な機能《きのう》は使うほどに進化し、使われない機能《きのう》は退化《たいか》していく。「進化した生物」が、前時代の生物より優《すぐ》れているとはいえないのだ。

42

命の恩人《おんじん》

失敗↓なぜ？

「リコちゃん、カメを飼《か》い始めたんだって？」

庭でリッキーのおやつにするハコベを摘《つ》んで——汗《あせ》だくになったんで一休みしてたら、となりのミトメさんのおじさんが声をかけてきた。

「はい。リッキーっていう名前つけたんです。リクガメだからリッキー。」

「へぇ、上手《じょうず》につけたね。」

ほめられてうれしい。っていうかリッキーに興味《きょうみ》持ってもらえてうれしいな。

去年、動物園のは虫類館でいろんなカメを見て、すぐに「カメ飼《か》いたい！」ってなったけど、パパもママもカメは好きじゃなくって。ママなんか「すぐあきるんじゃない？　ハムスターにしたら？」とか言うんだよ。でも、「絶対《ぜったい》カメがいいの。ちゃんと自分で世話するから」って言い続けて、やっとお許《ゆる》しが出たのが先週のこと。小学1年から4年分のお年玉をまるまる貯金《ちょきん》してあったから、飼育《しいく》ケースとか必要なものも全部自分で買ったんだ。


「ペットショップですごく迷《まよ》って、ヘルマンリクガメっていうのを買ったんです。葉っぱをもぐもぐ食べるところがかわいいから。」

「今、どのくらいの大きさなの？」

「まだ手のひらに載《の》るくらいです。」

「そう。リクガメって頭がよくて、飼《か》い主の顔を覚えてなつくらしいよね？」

「だから、顔をよく見せるようにしてますよ。」

ミトメさんのおじさん、まさにあたしがしゃべりたいことを聞いてくれる。話したくても、仲いい友だちは「カメは苦手」って子ばっかりなんだもん。

「今日は久《ひさ》しぶりに晴れたから、初めて甲羅《こうら》干《ぼ》しさせてるんです。日光に当てないと甲羅《こうら》が弱くなっちゃうんですよね。」

「いいね。そこの川でも、石の上に上がって甲羅干《こうらぼ》ししてるカメを見たことあるよ。どこで甲羅干《こうらぼ》しさせてるの？」

「ベランダです。」

そう言うと、ニコニコしてたおじさんは、急にけわしい顔になったんだ。

「ベランダ？　危《あぶ》ないよ。すぐに様子を見た方がいい。急いで！」

飼育《しいく》ケースごとベランダに置いたから、落っこちたりするわけないけど？

でも、このときおじさんに急《せ》かされて、本当によかったんだ！


おじさんはなぜ「危《あぶ》ない」と言ったのだろうか。

解説《かいせつ》

カメにとって日光浴はとても重要。日光にふくまれる紫外線《しがいせん》を浴びると、体内でビタミンD《ディー》という栄養素《えいようそ》が生成される。ビタミンD《ディー》は甲羅《こうら》や骨《ほね》の成長に欠かせない物質《ぶっしつ》で、不足《ふそく》すると甲羅《こうら》が変形する可能性《かのうせい》がある。また、カメは変温動物といって、自分で体温を調節することができない。朝、眠《ねむ》りから覚めたら、日光を浴びて体を温めなければ活動できない。だから、カメの飼育《しいく》には、紫外線《しがいせん》ライトや保温《ほおん》ヒーターが必要なのだ。

屋外で日光浴させるといいのはたしかだが、日かげがなく、高温になる場所に置くのはとても危険《きけん》である。カメは汗《あせ》を出して体温調節ができないので、熱射病《ねっしゃびょう》になって死んでしまうことがあるのだ。主人公はややぐったりしていたリッキーを動物病院に連れていって命を助けることができ、おじさんに深く感謝《かんしゃ》したのだ。水の中で暮《く》らすカメの場合も、高温になる場所に飼育《しいく》ケースを置きっぱなしにするとゆだってしまうので注意が必要だ。

43

庭の置きみやげ

危機《きき》↓なぜ？

「ごめんね、ホントに全然片《かた》づいてなくて。」

フキエは、家の中をあたしとカナミに見せて回りながらはずかしそうに言う。

「いいって。これから3人でルームシェアするんだしさ。」

カナミの言葉に、あたしも続ける。

「そうそう。あたしたちも片《かた》づけを手伝う義務《ぎむ》があるもんね！」


フキエ、カナミとあたしは大学で出会った親友だ。それから20年、ずっと親しくつきあってきた。何度もいっしょに旅行に行ったり、気心が知れている。

フキエが「あたしの実家に3人で住まない?」と提案《ていあん》してきたのは少し前のこと。

フキエはお母さんを早くに亡《な》くしていたのだけど——お父さんが亡《な》くなって、実家をどうするか迷《まよ》っていた。フキエは大学を卒業するとすぐに実家を出て、マンションに住んでいたからね。一軒家《いっけんや》を放置しておくといたんでしまうし、処分《しょぶん》するのもたいへん。かといって1人で住むには広すぎる。それで、あたしたちを誘《さそ》ったのだ。

場所的にも問題ないし、あたしもカナミも結婚《けっこん》の予定がないから二つ返事でOK《オーケー》した。気の合う親友同士《どうし》で一軒家《いっけんや》に住むなんて、楽しそうだもん。

そんなわけで、今日は具体的な相談をしにやって来たのだ。


「ご飯の用意だけはしといたから。食べながら話そう!」

フキエが食器棚《しょっきだな》からおわんやお皿を出し始める。

「そうだ、食器の整理もしないとね。引《ひ》っ越《こ》してくるのに、3人がそれぞれの食器を全部持ってきたら、ここに入りきらないよ。」

あたしが言うと、カナミも「だよね。みんな食器好きだもんね」とうなずく。

3人で暮《く》らすなら、ルールを決めておいた方がいいことがいっぱいありそうだ。

フキエはお料理が好きだから、うっかりするとフキエにばっか作らせることになっちゃいそう。当番制《とうばんせい》とかにした方がいいのかな？

それぞれ仕事に行く時間も帰ってくる時間もちがうし――うまくやっていくには、不満が出ないようにしないとね。

そんなことを考えてる間にフキエは包丁の音を鳴らしていて、カナミはお鍋《なべ》を温めたりしてる。ヤバいヤバい、手伝わなきゃ。横からのぞくと、フキエは漬《つ》け物を切ってる。キュウリと……こっちの小さいのは何だろ？

あたしの心の中を読んだように、フキエはそれをつまみ上げた。

「これね、ヒョウタンなの。前に、3人で和食の専門店《せんもんてん》に行ったとき、ヒョウタンの漬《つ》け物が出てきたじゃない？　それで、漬《つ》けてみようと思って。」

すると、カナミも乗り出してきた。

「あ、覚えてる！　ヒョウタンって八百屋さんで売ってるの？」

フキエは窓《まど》の外の庭を指さした。庭には緑がいっぱい茂《しげ》っている。

「庭で採《と》れたんだよ。お父さんさ、この庭でいろんなものを栽培《さいばい》してたんだよね。あたし、ここんとこお正月にしか帰ってなかったから、何を作ってるのか知らなかったんだけど。それが……お父さんが死んだあと、庭にいろんな芽が出てきてさ。」

「そっか。亡《な》くなる前に種をまいてたんだね。」

フキエはちょっとしんみりした顔になった。

「うん。お父さんの置きみやげみたいな気がしてさ……。あたし、園芸の知識《ちしき》なんてないけど、とりあえず毎日水をあげてたら小さいヒョウタンができちゃったんだ。じつはこれが初収穫《はつしゅうかく》。3人で食べようと思って、昨日から漬《つ》けといたの。」

「よく味わって食べなくちゃね。」

カナミが炊飯器《すいはんき》のフタを開ける。

「ありがたくいただこう……っと、その前にちょっと失礼。」

あたしが言うと、フキエが「トイレはろうかの奥《おく》」と教えてくれた。

トイレの上の方にすえつけられている棚《たな》には、大きなヒョウタンがいっぱい並《なら》んでた。まるで民芸品店みたい。これもフキエのお父さんが育てたやつかな……？

あたしは急いでトイレを出て、ろうかをドタドタ走った。すっかりご飯の用意ができてるテーブルをながめ――あたしは2人に向かって言ったのだ。

「そのヒョウタン、食べないで！」

主人公はなぜ「ヒョウタンを食べるな」と言ったのだろうか。

解説《かいせつ》

ヒョウタンには、小型《こがた》の食用のものと観賞用《かんしょうよう》のものがある。民芸店などで見かける飾《かざ》り物のヒョウタンや、中をぬいて水筒《すいとう》に仕立てたヒョウタンは観賞用《かんしょうよう》。これは有毒《ゆうどく》で、食べると食中毒《しょくちゅうどく》を起こし、死に至《いた》る危険《きけん》もあるのだ。

フキエは有毒《ゆうどく》のヒョウタンがあることを知らず、お父さんのヒョウタンがどんなものか知らないまま育てた。そして、ヒョウタンの実が小さいうちに収穫《しゅうかく》した。しかし、これは観賞用《かんしょうよう》の有毒《ゆうどく》なヒョウタンだったのである。

主人公はトイレに飾《かざ》ってあったヒョウタンを見て、フキエが漬《つ》け物にしたヒョウタンも観賞用《かんしょうよう》ではないかと考えたのだ。この推測《すいそく》は当たっていた。主人公が間一髪《かんいっぱつ》で疑問《ぎもん》を持ったおかげで、3人は食中毒《しょくちゅうどく》を免《まぬが》れた。

ヒョウタンの食中毒事故《しょくちゅうどくじこ》はときどき発生している。ヒョウタンに限《かぎ》らず、正体がはっきりしないものを食べてはいけない。命にかかわることもあるのだから！

44

高級なのどあめ

失敗→なぜ？

今日から年末年始で会社が休みになるっていうのに……カゼひいたかな。のどがイガイガする。

熱はないし、頭痛《ずつう》とかの症状《しょうじょう》もない。

かぜ薬をのむほどでもないと思うけど——のどのイガイガ、チクチクする痛《いた》みは気になる。のどの痛《いた》みにはハチミツがいいっていうよな。ハチミツ入りののどあめとかいいんじゃない？

スーパーでウロウロしてたオレは「歌手も愛用！　抗菌《こうきん》作用・抗炎症《こうえんしょう》作用が自慢《じまん》のプロポリス入りのどあめ」っていうのを発見した。

「プロポリス」って、聞いたことある。たしかミツバチが集める何かだけどハチミツとは別のもので、すごい抗菌《こうきん》作用があるんだよな。

のどあめの袋《ふくろ》の説明書きを読むと、こんなふうに書いてあった。

「天然の抗菌物質《こうきんぶっしつ》『プロポリス』は、ミツバチが植物から集めた樹脂《じゅし》の混合物《こんごうぶつ》。いろいろな樹木《じゅもく》や植物の新芽や樹脂《じゅし》（ヤニ）、花粉《かふん》、ミツバチの唾液《だえき》、ミツロウなどでできています。ミツバチはプロポリスを巣の入り口や巣の中にぬりつけて、大事な巣を細菌《さいきん》やウイルスから守っています」だって。なんかすごいんだな。

細菌《さいきん》の繁殖《はんしょく》を抑《おさ》える効果《こうか》があるから、人間の健康食品にも採用《さいよう》されてるわけだ。

ふつうののどあめよりちょっと高いけど、効《き》きそうだから買ってみよう。

この年末年始は実家に帰る予定もないし、特にだれとも約束してない。

おとなしく一人でゴロゴロして休息をとることにしよう。


帰ると、さっそく「プロポリスのどあめ」を口に放りこむ。ちょっと苦味があってピリッとする刺激《しげき》がある。ピリッとするヤツほどプロポリスの質《しつ》が高いらしい。

ところが、効《き》いてる感じがしないんだよ。

素直《すなお》に病院に行っておくべきだったか？　いや、でも——年末年始は休診《きゅうしん》のとこが多いし。のど以外は、あいかわらずなんともないし。

だが、状態《じょうたい》はどんどん悪くなってきた。のどがはれ上がって飲みこみにくくなっている。

くそっ、まあまあ高かったんだし、ちょっとは効《き》いてくれよ！

そう思いながら、オレはムキになってのどあめをなめ続けた。

それが逆効果《ぎゃくこうか》になっているのかも、なんて想像《そうぞう》もしなかったんだよなぁ。

プロポリスが抗菌《こうきん》作用・抗炎症《こうえんしょう》作用を持っているのはたしかな話。主人公がいう「逆効果《ぎゃくこうか》」とはどういうことだったのだろうか。

解説《かいせつ》

病院で診察《しんさつ》を受けた結果、主人公はプロポリスでアレルギーを起こす体質《たいしつ》だとわかったのだ。プロポリスは天然の抗菌物質《こうきんぶっしつ》として知られ、抗菌《こうきん》・殺菌《さっきん》作用、抗炎症《こうえんしょう》作用があるとされている。のどあめやのどスプレー、サプリメントのほか化粧品《けしょうひん》などにも使われている。もちろんこの商品自体にはまったく問題はなかった。卵《たまご》や小《こ》麦粉《むぎこ》、乳製品《にゅうせいひん》、ソバ、ナッツ類、魚介類《ぎょかいるい》、野菜、果物などよく使われる食品でアレルギーを起こす体質《たいしつ》の人も少なくない。多くの場合、自分が何のアレルギーを持っているかは発症《はっしょう》して初めてわかるのである。

主人公はまさかのどあめのせいでのどがはれているとは思わなかった。また、アレルギー体質《たいしつ》ではなくても同じ食物のとりすぎはよくないと覚えておこう。たとえば、ニンニクなど刺激《しげき》の強い食べ物は一度に大量に食べると体調不良を起こすことがある。どんな食品も食べ過《す》ぎは厳禁《げんきん》だ。

45

味つきの野菜

有効《ゆうこう》→なぜ？

オレはビニールの袋《ふくろ》を破《やぶ》った。うすい緑の肉厚《にくあつ》の葉っぱが重なったそれは、野菜っていうか「植物」って感じに見える。

八百屋のおっちゃんに言われた通り、サッと水洗《みずあら》いするとそのまんま器《うつわ》に盛《も》ってテーブルにドンと置く。

「はい、サラダ。」

ハヤタは不思議そうな顔をする。

「は？　何これ。このまんま食べるの？」

大学に入学してから、同い年のいとこのハヤタと同居《どうきょ》生活を始めて4年。もうすぐ2人暮《ぐ》らしも終わりかと思うとちょっとさびしくはある。ハヤタの実家は宮城県《みやぎけん》だ。東日本大震災《だいしんさい》のとき被害《ひがい》にあい——ハヤタの一家は半年くらい、オレの実家の神奈川《かながわ》の家に身を寄《よ》せていた。そのときに仲よくなったこともあって、ハヤタがこっちの大学に入学すると決まったとき「いっしょに住もう」って提案《ていあん》したのはオレだ。親たちも「2人なら安心だ」って賛成《さんせい》してくれたし。


「これ、葉っぱやくきに氷みたいな粒《つぶ》がついてるだろ。それでアイスプラントっていうんだって。何もつけなくても塩味がするって。」

「ふーん。かんたんでいいな。」

オレとハヤタはほぼ同時にそれを口に放りこんだ。

「ホントだ。塩味がする。おもしれ～！」

「なかなかイケるな。」

「でもさ、なんで塩味ついてんの？」

「八百屋のおっちゃんによると、土の中の塩分を吸《す》い上げるからだって。」

ハヤタは目を丸くした。

「すごいな。ふつうの野菜は塩味にならないのに？」

「うん、だからこいつにはそういう特別な性質《せいしつ》があるってことだ。」

オレたちはあっという間にアイスプラントをたいらげた。

「手軽だし安いし栄養もあるらしいし。これは当たりだな。」

オレが言うと、ハヤタはふと遠くを見るような目になったんだ。

「そうだな。それにこのアイスプラントさ……もしかしたら、オレの地元の復興《ふっこう》に役立つかもしれないな。」


ハヤタの地元は東日本大震災《だいしんさい》で被害《ひがい》を受けた宮城県《みやぎけん》である。ハヤタはアイスプラントがどう役に立つと考えたのだろうか。

解《かい》説《せつ》

ハヤタの地元である宮城県《みやぎけん》は、東日本大震災《だいしんさい》のときに津波《つなみ》の被害《ひがい》を受けている。そのつめあとの一つは、海水による土の「塩害《えんがい》」だ。土が大量の塩をふくむと植物は育ちにくく、農地は使いものにならなくなってしまう。復旧《ふっきゅう》するには、塩を水で洗《あら》い流したり、化学薬品を使って塩を取りのぞく必要がある。しかし、どちらも膨《ぼう》大《だい》な費用《ひよう》と時間がかかる。ハヤタは「塩分を吸《す》い上げるアイスプラントなら、塩害《えんがい》が発生した農地でも育つし、同時に土の中の塩分を減《へ》らすことができる」と考えたのだ。

じつは、アイスプラント栽培《さいばい》による塩害《えんがい》の解消《かいしょう》は実際《じっさい》に行われている。そのほか、アブラナ科の作物も塩害《えんがい》に強い。菜の花からとったナタネ油はバイオディーゼル車の燃料《ねんりょう》として重宝《ちょうほう》されている。被災地《ひさいち》の農業の復興支援《ふっこうしえん》、土壌回復《どじょうかいふく》の効果《こうか》が期待され、調査《ちょうさ》・研究が進められている。

46

新《しん》鮮《せん》な鶏《とり》肉《にく》

理由→なぜ？

インターホンを押《お》すと、「開いてるから入って！」と声が返ってきた。

ドアを開けると――この部屋の主人であるイサオが「おまえ、おせーよ！」と、タオルで手をふきながら一応出迎《いちおうでむか》えてくれた。料理の最中だったらしい。

その後ろからコウジがひょいと顔を出し、「ほら、ピザ買ってきちゃった。やっぱ映画鑑賞《えいがかんしょう》にはピザだよね」と、平たい箱をかかげる。

オレたちは大学の同級生。イサオがバイト代で念願の大型《おおがた》モニターを買ったっていうんで、昼間っから夜まで映画《えいが》を見まくるパーティーをすることになったんだ。

「これ、イサオが作ったの？　やるじゃん。」

シンクの横の調理台には、レタスやトマトやアボカド、くし型《がた》に切ったゆで卵《たまご》をきれいに盛《も》りつけたサラダがのっている。

「シーザーサラダだよ。おまえもなんか食うもん持ってきたんだろうな？」

オレは得意《とくい》げに、買い物袋《ぶくろ》を振《ふ》ってみせる。

「めずらしいもん、食わせてやるよ。」

オレが取り出したのは鶏肉《とりにく》のササミだ。

「駅前で『とれたて市』っていうのやっててさ。これ、今朝しめたばっかの新鮮《しんせん》な鶏肉《とりにく》なんだって。だから、刺《さ》し身で食おうと思って……。」

オレは、九州旅行をしたときに食べたササミの刺《さ》し身がどんなにうまかったかを熱弁《ねっべん》した。だが、イサオはあっさりと言い放ったのだ。

「鶏肉《とりにく》は生で食べちゃダメだ。鶏《にわとり》の腸内《ちょうない》にあるカンピロバクターっていう細菌《さいきん》がついてることがあるんだ。ついこの間も、ニュースで食中毒事件《しょくちゅうどくじけん》のことやってたの、知らない？　加熱すれば死ぬ菌《きん》なんだけど。」

なんだよ、せっかく持ってきたのにさぁ。

「そのニュースは知らないけど。でも、これはすごい新鮮《しんせん》な鶏肉《とりにく》なんだ。だからちょうどいいと思ったんだよ。ちゃんと保冷剤《ほれいざい》も入れてもらったしさ。」

だが、イサオはさらにまくし立てた。

「あのさ、細菌《さいきん》がついてるかどうかってのは新鮮《しんせん》かどうかとは関係ないんだ。」

あ、そっか。言われてみたらそりゃ別の話だよな。

「わかった。じゃ、よく洗《あら》えばいいだろ?」

鶏肉《とりにく》を取り出してシンクで洗《あら》おうとすると——イサオはおおげさにオレの手を止めたんだ。

「おい、洗《あら》うな!」

イサオはなぜ、主人公が鶏肉《とりにく》を洗《あら》おうとしたのを止めたのだろうか。

解説《かいせつ》

表面に細菌《さいきん》がついていた場合、鶏肉《とりにく》を洗《あら》っても完全に落とせるわけではない。また、洗《あら》ったりすると、細菌《さいきん》をまわりに飛び散らす危険《きけん》がある（これを「二次汚染《おせん》」という）。カンピロバクターはごくわずかでも食中毒《しょくちゅうどく》を起こす細菌《さいきん》だ。イサオはそばにあるサラダや食器が二次汚染《おせん》される可能性《かのうせい》を心配したのである。実際《じっさい》、二次汚染《おせん》が原因《げんいん》で食中毒《しょくちゅうどく》が起こった例もある。鶏肉《とりにく》をさわった手でほかのものにさわらないように。発泡《はっぽう》スチロールのトレイも調理作業中には洗《あら》わないこと。結局、この鶏肉《とりにく》はイサオがチキンソテーに仕立て、みんなでおいしくいただいた。

ともかく、鶏肉《とりにく》は生で食べてはいけない。生焼けにならないよう十分に火を通すこと。カンピロバクターによる食中毒《しょくちゅうどく》の主な症状《しょうじょう》は腹痛《ふくつう》や下痢《げり》など。さらに、何週間もたってから手足のしびれや呼吸困難《こきゅうこんなん》が起こり、後遺症《こういしょう》が残る場合もある。ササミを生で食べる「刺《さ》し身」を提供《ていきょう》する飲食店もあるが、食中毒《しょくちゅうどく》を起こさない保証《ほしょう》はない。そのリスクの大きさを覚えておいてほしい。

47 ふわふわオムレツの午後

理由→なぜ？

「キャッ！」

サユミが短く声を上げた。

「ん？　お姉ちゃん、なんか言った？」

リョウコは、手際《てぎわ》よく菜《さい》ばしでフライパンの中をかき混《ま》ぜながら言った。たっぷり油をひいたところに卵《たまご》を溶《と》き入れて——フライパンがパチパチいったので、サユミの声がよく聞こえなかったのだ。

リョウコは、高校のクッキングクラブで習ったばかりのふわふわオムレツを作ろうとしている。とてもおいしかったから、コツを忘《わす》れないうちに復習《ふくしゅう》したかったのだ。

「今さ……壁《かべ》をつたって冷蔵庫《れいぞうこ》の後ろにアレが入っちゃったぁ！」

サユミはリョウコの背中《せなか》にはりつく。

「アレって……アレだよね？」

「そう。ゴキブリ……。」

サユミはその名前を出すのもおぞましいというように、小さい声で言う。

「やだなぁ、料理してる最中に。」

「食べてる最中に出てこられるのもイヤだけどぉ！　もう……なんで地球上にあんなのがいるの？　絶滅《ぜつめつ》すればいいのに！」

サユミはぎゃあぎゃあさわいだが、リョウコはフライパンに集中する。

ふわふわオムレツの卵《たまご》は火加減《ひかげん》が大事なのだ。火を通しすぎたら、ふわふわでもなんでもないオムレツになってしまう。

サユミは殺虫剤《さっちゅうざい》のスプレー缶《かん》を持ってきて次に備《そな》えた。まさにそのとき……ゴキブリはガス台の上に現《あらわ》れたのだ。

リョウコがサッとフライパンをどかしてコンロの火を消し、「お姉ちゃん！」と言うと、サユミが標的にスプレーを浴びせる。それが絶命《ぜつめい》すると、サユミはペーパータオルでくるんでビニール袋《ぶくろ》に入れ、口を結んでゴミ箱に放りこんだ。

姉妹らしいみごとなコンビネーションである。

「はぁぁ、これで安心！　さ、仕上げにもうちょい火を通さなくっちゃ。」

リョウコはそう言いながらフライパンをコンロの上にもどした。そして、点火スイッチに指をふれかけたが――スイッチを押《お》さずに手をはなしたのである。

リョウコはなぜ点火しなかったのだろうか。

解説《かいせつ》

リョウコの判断《はんだん》は正しかった。このようなスプレー缶《かん》には可燃性《かねんせい》ガスがふくまれている。火を使っているそばでスプレー缶《かん》を噴射《ふんしゃ》すると、引火して火が燃《も》え上がったり爆発《ばくはつ》するおそれがある。また、スプレーをし終わったあとも、可燃性《かねんせい》ガスが残っているので、すぐに火をつけてはいけないのだ。換気《かんき》の状況《じょうきょう》にもよるので何分たったら安全とは言い切れない。火を使っているそばでは、こうしたスプレーは使わないと決めておくのがいいだろう。殺虫剤《さっちゅうざい》だけでなく、ヘアスプレー、制汗剤《せいかんざい》、消臭剤《しょうしゅうざい》なども同じである。車の中で消臭《しょうしゅう》スプレーを噴射《ふんしゃ》した後、ライターでタバコに火をつけたために車が爆発《ばくはつ》したケースもある。

　リョウコはガスコンロの火をつけずにそのまま放置したが、フライパンの余熱《よねつ》で卵《たまご》はうまい具合に火が通った。奇跡的《きせきてき》に「ふわふわ」の状態《じょうたい》が保《たも》たれたオムレツができたのである。

48

安くしょうゆをつくるには

理由↓なぜ？

ときは大正時代、茨城県《いばらきけん》のとある村にて。

食後のお茶を飲みながら新聞を広げていたN《エヌ》氏は勢《いきお》いこんで広告《こうこく》に見入った。

「なになに？『わたしが特許《とっきょ》を取った《サツマイモを原料とするしょうゆ製造法《せいぞうほう》》を使用する権利《けんり》をお分けします。同時に製造《せいぞう》会社の株主《かぶぬし》を募集《ぼしゅう》します』だと⁉」

N《エヌ》氏は目を輝《かがや》かせた。

（サツマイモからしょうゆをつくる⁉　すばらしい発明だ！）

しょうゆの主な原料は大豆だが、大豆よりずっと安いサツマイモを使えば原料費《げんりょうひ》は3分の1くらいにおさえられるという。

（これはまちがいなくもうかるぞ！）

このころは物価《ぶっか》が上がっており、しょうゆの値段《ねだん》は数か月で4倍に値上《ねあ》がりしていた。安いしょうゆが登場すれば、みんなが助かる。

しかも、都合がいいことにN《エヌ》氏の地元はサツマイモの栽培《さいばい》が盛《さか》んである。

（この事業を始めたら農家からたくさんサツマイモを買い上げることになる。地元の人たちも喜《よろこ》ぶだろうな。）

「本当にサツマイモを原料にしょうゆをつくれるのか？」

「この広告《こうこく》を出した人は信用できるのか？　やめておきなよ。」

周囲《しゅうい》の人には反対されたが――N《エヌ》氏は広告《こうこく》を出したY《ワイ》氏にさっそく連絡《れんらく》を取り、この新事業に全財産《ぜんざいさん》を投入したのである。

ところが――この件《けん》はまったくの詐欺《さぎ》だった。大金を払《はら》って使用許可《きょか》を得《え》た「サツマイモからしょうゆを製造《せいぞう》する方法」は、とんでもなくいい加減《かげん》なものだったのだ。できあがったしょうゆは、味が悪くてだれも買わないようなシロモノだ。

N氏《エヌ》は、じだんだ踏《ふ》んでくやしがった。

「くそっ、すっかりだまされた！　だが……意地でもこのままじゃすまさないぞ。」

しかし、N氏《エヌ》はなぜかY氏《ワイ》を訴《うった》えようとはしなかったのである。


N氏《エヌ》は「このままではすまさない」と言ったのに、詐欺師《さぎし》のY《ワイ》氏を訴《うった》えて投資《とうし》したお金を返してもらおうとはしなかった。この後、どうしたのか想像《そうぞう》してほしい。

解説《かいせつ》

N《エヌ》氏は自力で「大豆より安い原料」でしょうゆをつくることに挑戦《ちょうせん》したのだ。しょうゆの醸造元《じょうぞうもと》で製造法《せいぞうほう》を学んだのち、インゲン豆でしょうゆをつくりだすことに成功し、特許《とっきょ》を取得《しゅとく》。それは大豆のしょうゆに負けない味だったという。

詐欺師《さぎし》を訴《うった》えなかったのは、かんたんにだまされた自分が情《なさ》けなかったためかもしれない。そのくやしさをバネに、製法《せいほう》を生み出そうとがんばったのではないだろうか。

N《エヌ》氏のモデルの長山正太郎《ながやましょうたろう》さんは、その後もさまざまな発明に取り組んでいった。のちにインゲン豆の価格《かかく》が値上《ねあ》がりしたので「インゲン豆しょうゆ」は短命に終わったが、魚の内臓《ないぞう》や骨《ほね》を原料にしょうゆをつくる方法を完成させている。自分がもうけようというよりも、漁村の人々《ひとびと》の副業になればという気持ちで開発に取り組んだようだ。そのほか、バナナの皮から酒をつくる研究にも打ちこんだが、これはうまくいかなかったという。

49

恐竜騒《きょうりゅうさわ》ぎ

冗談《じょうだん》↓結果？


100年くらい昔の話。

科学者のヒューゴー・アップルトン氏はふざけた男だった。

遠くの街で行われた親せきの結婚式《けっこんしき》から帰ってくるとちゅう、だだっ広い荒野《こうや》で車を停《と》めてひと休みしていたとき。

大きな平べったい岩が目にはいるやいなや、ヒューゴーはすぐにこのいたずらを思いついたのだ。

（これは——恐竜《きょうりゅう》の足跡《あしあと》の化石にそっくりだぞ。）

ヒューゴーは長さ1メートルほどもある岩をわざわざ車の荷台に積みこんだ。

そして——明け方、まだうす暗いうちに家に帰りつくと、いかにも恐竜《きょうりゅう》が歩いたかのように、歩幅《ほはば》をとりながら土に跡《あと》をつけたのである。

古くからイギリスのネス湖で「ネッシー」と呼《よ》ばれる怪獣《かいじゅう》が目撃《もくげき》されていることを思い出し、こおった湖のほとりから足跡《あしあと》をつけ始めた。ちょうど雨が降《ふ》ったあとで地面がやわらかくなっていたからうまく跡《あと》がつき、ヒューゴーは満足した。そして、岩を納屋《なや》の奥《おく》にかくしてからベッドにもぐりこんだのである。

ところが、昼すぎにヒューゴーが目覚めると、外は大騒《おおさわ》ぎになっていたのである。

ヒューゴーが出ていくと、真っ先に声をかけてきたのは肉屋のウォーレンだ。

「ヒューゴー、これを見ろよ！　どっからどう見ても恐竜《きょうりゅう》の足跡《あしあと》だぜ！」

ヒューゴーはどうしたものかと思ったが、とりあえず驚《おどろ》いてみせた。

「本当だ！　こりゃすごい！」

周囲《しゅうい》には20人ほどの人が集まっていて、足跡《あしあと》の主について盛《さか》んに話し合っている。

（みんな、本気で恐竜《きょうりゅう》の足跡《あしあと》だと思ってるのか？　こんなに大勢《おおぜい》だと、白状《はくじょう》しにくいなぁ。）

ウォーレンは興奮《こうふん》して言った。

「この足跡《あしあと》のスタート地点は湖のほとりだ。氷の上を歩いてきたのかな？」

パン屋のモーガンが割《わ》って入ってきた。

「空を飛んできたかもしれないぞ。羽のある恐竜《きょうりゅう》っているだろ？　プテラノドンとか。」

「でも、足跡《あしあと》の大きさから考えると、かなりデカいはずだ。そんなにデカくちゃ重くて飛べないだろうよ。」

「うむ。言われてみればそうだ。」

「ヒューゴー、おまえは科学者としてどう思う？」

ヒューゴーは今や、早くだれかにインチキだと気づいてほしくてしかたがなかった。

「どうかなぁ。この足跡《あしあと》、どこまで続いてるのか調べたか？」

すると、モーガンはまじめな顔で言うのである。

「山の入り口の手前でふっつり途切《とぎ》れていた。きっと山にかくれたんだろうよ。」

騒《さわ》ぎは大きくなる一方だった。

たくさんの子どもたちが見に来て、街中《まちじゅう》にふれ回り、警察官《けいさつかん》もやって来て近所を調べ始めた。夕方には新聞記者もたくさんやって来た。

「あなたの家の前をこの怪物《かいぶつ》が歩いていったはずですが、足音などは聞いてないんですか？　鳴き声は？」

「ちょっとでも怪物《かいぶつ》の姿《すがた》を見てないですか？」

ヒューゴーは質問《しつもん》ぜめにあい、いたずらしたことを後悔《こうかい》し始めていた。

（ほんの冗談《じょうだん》のつもりだったのに。こんな大ごとになったら、今さらいたずらだとは言い出せない。あの岩が見つかったらヤバいなぁ。岩をどこか見つからないところに捨《す》ててこないと。）

ヒューゴーは一応《いちおう》科学者なのである。動物とは関係ない分野だが、「学者」と名がつくのに、世間をさわがせるインチキ騒《さわ》ぎを起こしたとなれば信用にかかわる。

ヒューゴーは、山を見上げてため息をついた。

(みんな、証拠《しょうこ》もないのに、なんで怪物《かいぶつ》が山に隠《かく》れてるなんて思いこめるんだ?

いや──そう思いたいからかもしれない。きっとそういう怪物《かいぶつ》が実在《じつざい》すると思っていたいんだな。)

ヒューゴーはニヤリと笑った。

(よし、自分で起こした騒《さわ》ぎだ。自分で結末をつけよう。)

ヒューゴーはこの騒《さわ》ぎをどうやって収束《しゅうそく》させたのだろうか。

ヒューゴーは真夜中になるのを待って納屋《なや》にかくした岩を運び出し、こおった湖に投げこんだのである。氷は割《わ》れ、岩は湖の底に沈《しず》んでいった。これでいたずらの証拠物件《しょうこぶっけん》は処分《しょぶん》できた。

そして、翌日《よくじつ》――人々《ひとびと》は湖の氷に大きい穴《あな》が空いているのを見て「怪物《かいぶつ》が落ちたにちがいない」と結論《けつろん》づけたのである。こうして事態《じたい》は収束《しゅうそく》した。

50

職人《しょくにん》で発明家

必要→応用《おうよう》？

海に入らなくても潮風《しおかぜ》に当たっただけで体がベタベタになるわけだから、海から帰ったら早く車を洗《あら》うべきだったよな。3日も浜辺《はまべ》に車を置いといたんだし。

その後、1週間くらいたって、車のキズのあるところがサビてるのを発見したとき、オレは激《はげ》しく後悔《こうかい》した。

サビ落としを買ってきて自力でメンテナンスする方法もあるけど、オレは不器用でさ。

仕上がりが汚《きたな》くなったらよけいへこむから、修理屋《しゅうりや》に頼《たの》むことにした。

費用《ひよう》は1万5000円。けっこう高くついちゃったなぁ。

「海に浮《う》かんでる船はサビないんですか？　よっぽどすごいサビ止めを塗《ぬ》ってあるんですかね？」

オレが聞くと、修理屋《しゅうりや》のおじちゃんは「いい質問《しつもん》だね」と言った。

「じつは、明治《めいじ》時代の日本人で、画期的なサビ止め塗料《とりょう》を発明した人がいるんだよ。当時、外国の鉄製《てつせい》の船がサビやすくて困《こま》ってるっていう話を聞いて塗料《とりょう》を作ったんだ。外国人に絶賛《ぜっさん》されたそうだよ。」

「へえ。明治《めいじ》時代の日本人が？　科学者とかですか？」

「いや、その人はもとは日本の伝統《でんとう》工芸の職人《しょくにん》だったんだ。その知識《ちしき》を応用《おうよう》することを思いついて、苦労して完成させたんだって。」

「日本の伝統《でんとう》工芸？　で、塩分に強いもの……？」

いったいなんだろう？　オレは、おじちゃんが出してくれたコーヒーカップに手をのばしてハッとした。

「陶磁器《とうじき》のうわぐすりとか？　スープとか塩分のあるものを入れてもだいじょうぶなわけだから……。」

おじちゃんが目を丸くしたんで、てっきり正解《せいかい》かと思ったが。

「ハズレ！　だけど……発想の方向性《ほうこうせい》はいい。発明家の素質《そしつ》があるかもな。」

え？　そんなふうに言われると、次は当てなきゃっていうプレッシャーがかかるじゃないか！

「当たったら1000円割引《わりびき》してあげる」っていうから、オレは頭をしぼった。そして、粘《ねば》ったあげく、正解《せいかい》を言い当てたんだ。


日本の伝統《でんとう》工芸の職人《しょくにん》が、海水に強いサビ止めに応用《おうよう》したのは何だろうか。

解説《かいせつ》

答えは漆《うるし》。このサビ止め塗料《とりょう》を発明したのは堀田瑞松《ほったずいしょう》という人だ。瑞松《ずいしょう》は江戸《えど》時代後期に、日本刀の鞘塗《さやぬ》り師《し》の家に生まれ、家業を継《つ》いだ。刀を収《おさ》める鞘《さや》は、耐久《たいきゅう》性《せい》と美しさを備《そな》えることが必要で、この塗料《とりょう》に漆《うるし》を使っていたのだ。漆《うるし》とは、漆《うるし》の木からとれる樹液《じゅえき》。固まると水をはじき、腐《くさ》らない膜《まく》を作るので古くから木製品《もくせいひん》などを長持ちさせる塗料《とりょう》として使われてきた。塗《ぬ》ると光沢《こうたく》があり、深く美しい色合いをかもし出す。瑞松《ずいしょう》は彫刻《ちょうこく》の名手でもあり、明治《めいじ》時代に入ると彼《かれ》の作品は海外でも評価《ひょうか》された。そんな中で瑞松《ずいしょう》は「世界で胸《むね》を張《は》れる技術《ぎじゅつ》を持たねば」という意識《いしき》を持つにいたる。外国船の塗料《とりょう》が劣化《れっか》しやすくて困《こま》っていると聞き、慣《な》れ親しんだ漆《うるし》を使って塗料《とりょう》を作ることを思いついたのである。

ちなみに、主人公は「スープ→陶磁器《とうじき》」という発想の「方向性《ほうこうせい》はいい」と言われたことから、次に「みそ汁《しる》→漆器《しっき》」と考えて正解《せいかい》できたのである。

参考文献

『赤き心を　おんな勤王志士・松尾多勢子』古川智映子（潮出版社）
『アホウドリに夢中』長谷川博（新日本出版社）
『アラマタ生物事典』荒俣宏／監修（講談社）
『アラマタ人物伝』荒俣宏／監修（講談社）
『おもしろ雑学　世の中のふしぎがわかる話２６０』本郷陽二（三笠書房）
『奇想科学の冒険　近代日本を騒がせた夢想家たち』長山靖生（平凡社）
『甲子園が割れた日　松井秀喜5連続敬遠の真実』中村計（新潮社）
『怖くて眠れなくなる科学』竹内薫（ＰＨＰ研究所）
『コンスタンティノープルの陥落』塩野七生（新潮社）
『たった一人の30年戦争』小野田寛郎（東京新聞出版局）
『脱獄王　白鳥由栄の証言』斎藤充功（幻冬舎）
『帝国ホテル厨房物語　私の履歴書』村上信夫（日本経済新聞社）
『毒きのこ　世にもかわいい危険な生きもの』白水貴（幻冬舎）
『7袋のポテトチップス　食べるを語る、胃袋の戦後史』湯澤規子（晶文社）
『逃げるが勝ち　脱走犯たちの告白』高橋ユキ（小学館）
『パブロフの犬　実験でたどる心理学の歴史』アダム・ハート＝デイヴィス（創元社）
『ヒトは何故それを食べるのか　食経験を考える63のヒント』佐竹元吉・正山征洋・和仁皓明（中央法規出版）
『ブッ飛びキャンプ雑学「あ、やっちまった」の傾向と対策』キャンプのピンチ解消委員会／編（三才ブックス）
『もしもワニに襲われたら』ジョシュア・ペイビン、デビッド・ボーゲニクト（文響社）

栗生こずえ（あおう・こずえ）
東京都生まれ。小説家、編集者、ライター。マンガを紹介する書籍の編集多数、児童書ではショートショートから少女小説、伝記まで幅広く手がける。おもな作品に、「3分間サバイバル」シリーズ（あかね書房）、『トリッククラブ キミは18の錯覚にだまされる!』（集英社みらい文庫）、『かくされた意味に気がつけるか？3分間ミステリー 真実はそこにある』『3秒できめろ! ギリギリチョイス』（ポプラ社）、『そんなわけで国旗つくっちゃいました! 図鑑』（主婦の友社）など。『必ず書ける あなうめ読書感想文』（学研プラス）はロングセラーを記録中。

装画　秋赤音
校正　有限会社シーモア
装丁　小口翔平＋奈良岡菜摘＋畑中茜（tobufune）

3分間サバイバル
想像を超えろ!　奇跡の決断

2023年8月初版　2025年7月第3刷

作　栗生こずえ
発行者　岡本光晴
発行所　株式会社あかね書房
〒101-0065 東京都千代田区西神田3-2-1
電話　営業（03）3263-0641
編集（03）3263-0644
印刷・製本　中央精版印刷株式会社

NDC913　255ページ　19cm×13cm

ISBN978-4-251-09687-6

https://www.akaneshobo.co.jp